Letras Hispánicas

El gesticulador

Letras Hispánicas

Rodolfo Usigli

El gesticulador

Edición de Daniel Meyran

OCTAVA EDICIÓN

CÁTEDRA

LETRAS HISPÁNICAS

1.ª edición, 2004
8.ª edición, 2020

Ilustración de cubierta: cortesía de Leopoldo Flores,
Desnudo en verde y rojo, 1986

Reservados todos los derechos. El contenido de esta obra está protegido
por la Ley, que establece penas de prisión y/o multas, además de las
correspondientes indemnizaciones por daños y perjuicios, para
quienes reprodujeren, plagiaren, distribuyeren o comunicaren
públicamente, en todo o en parte, una obra literaria, artística
o científica, o su transformación, interpretación o ejecución
artística fijada en cualquier tipo de soporte o comunicada
a través de cualquier medio, sin la preceptiva autorización.

PAPEL DE FIBRA
CERTIFICADO

© Herederos de Rodolfo Usigli
© Ediciones Cátedra (Grupo Anaya, S. A.), 2004, 2020
Juan Ignacio Luca de Tena, 15. 28027 Madrid
Depósito legal: M. 28.042-2010
I.S.B.N.: 978-84-376-2173-9
Printed in Spain

Índice

Índice

Introducción

A mi Lydia para siempre.
A mis queridas Isabelle, Julie,
Charlotte, Pauline, Zoé.
A mis caros Frédéric y Helios.

Para Alfonso Reyes,
en todo el "tuac"
de un poeta nuevo
y con toda la compaña
de una vieja amistad —
Rodolfo Usigli

Noviembre
1938

Retrato de Rodolfo Usigli, dibujo de Agustín Lazo en la portada
de *Conversación desesperada, poemas*, México, Cuadernos de México
Nuevo, 1938, con dedicatoria a Alfonso Reyes.
Cortesía de la Capilla Alfonsina.

USIGLI, «EL DEVORADOR DE SUEÑOS»

> Con mis diez dedos he mirado
> y lo han asido mi mirada,
> mi olfato y mi voz encanta
> y todo lo he devorado.
> Por salvar uno de mis sueños
> armé a veces mis empeños:
> no guardé ni los más pequeños.
> Soy el devorador de sueños.

RODOLFO USIGLI, «El devorador de sueños»,
en *Tiempo y Memoria en conversación desesperada,*
México, UNAM, 1981, pág. 114
(col. Textos de Humanidades, 26).

Tuve la suerte de conocer personalmente a Rodolfo Usigli, en octubre de 1977, o sea dos años antes de su muerte, durante una misión científica que me había otorgado el Centro Nacional de Investigación Científica de Francia (CNRS). Mi entusiasmo y mi alegría de joven descubridor estaban, sin embargo, empañados por una sombra, el «Teatro Popular de México», que dirigía precisamente Rodolfo Usigli, acababa de desaparecer. La amenaza latente, presentida en la prensa de la capital desde el final de la quinta temporada teatral de 1976 e intensificada con el nuevo sexenio presidencial de José López Portillo, sucesor de Luis Echeverría en enero de 1977, se había vuelto realidad. La sexta temporada del «Teatro Popular», de junio a julio de 1977, no pudo realizarse. Con la muerte del «Teatro Popular» desaparecía cierta práctica teatral y cierta forma de apertura cultural. En mis encuentros percibí a Rodolfo Usigli como a un hombre decepcionado y solo, un hombre que sobrevivía al lado de sus hijos, olvidado por la «intelligentsia» mexicana, rodeado de sus recuerdos, de sus objetos familiares, de sus trofeos, en un decorado modesto, el de un departamento de la colonia Roma, que no hacía sino recordarme el de su teatro. Allí tuvo la amabilidad de recibirme y acogerme en medio de sus libros y de los cuadros de Roberto Montenegro y de Manuel Rodríguez Lozano, que tan importantes eran para él. De objeto de investigación, Rodolfo Usigli se volvió para siempre entrañable amigo, y tanto su obra como su presencia me acompañó a lo largo de mi vida de investigador y docente. Las conversaciones que sostuvimos determinaron varias publicaciones (véase bibliografía) y me permitieron, junto con la lectura y el estudio de su obra, conocer mejor la aventura del teatro en México así como la de México en el teatro. *In memoriam* le dedico este libro, pero lo dedico también, como homenaje, a sus herederos, sus hijos Cordelia, Ana Lavinia, Alejandro y Leonardo, sin el apoyo de los cuales no hubiera sido posible esta edición española de *El gesticulador*.

RECORRIDO BIOGRÁFICO

> Aquí yace y espera Rodolfo Usigli
> ciudadano del teatro.

Tal es el epitafio deseado por Usigli dieciocho años antes de su muerte, como lo señala él mismo en el prólogo a la primera edición del primer tomo de su teatro completo por el Fondo de Cultura, el 31 de enero de 1961. Todavía hoy no se ha grabado en su sepulcro donde «sus restos reposan sin poesía en un panteón horizontal de la ciudad de México, en el que están prohibidos los epitafios, aun para los poetas»[1].

Hace ya veinticinco años, el 18 de junio de 1979, fallecía Rodolfo Usigli en su piso de la colonia Roma. Cuarto y último hijo de Alberto Usigli y Carlota Wainer, nacido el 17 de noviembre

---

[1] Guillermo Schmidhuber de la Mora, *El advenimiento del teatro en México (años de esperanza y curiosidad)*, San Luis Potosí, ed. Ponciano Arriaga, 1999, pág. 177.

de 1905 en México D. F.: «en la humilde vecindad donde mi familia ocupaba una vivienda en la primera calle de San Juan de Letrán (actual local del cine Teresa donde yo nací)»[2], consagró su vida entera al teatro y luchó para ostentar al mundo un teatro mexicano, una «comedia humana», un fresco de la historia y de la sociedad mexicanas, porque para él era el teatro el mundo y el mundo era un teatro «y todo lo demás es batalla y diálogo».

He aquí lo que escribía en 1961:

> Lo que quisiera señalar es que desde la casa de vecindad de mi infancia, ya me valiera yo de títeres de barro o, sin dinero para comprarlos, hiciera dialogar a mis dedos (el meñique era el paje, el anular la princesa o la reina, el cordial el rey, el índice el príncipe, general o primer ministro o confesor, el pulgar el bufón o el traídor y en cada mano existe un país, una nación, un Estado, una corona, y todo lo demás es batalla y diálogo). Desde entonces no ha habido en mis sueños o en mis realizaciones dramáticas más que un solo héroe, un solo personaje central, un centro del equilibrio y de la vida. Éste es el único personaje que me ha interesado crear para el drama evolutivo de la vida, de la cultura y de la grandeza del país en que nací, porque «un pueblo sin teatro es un pueblo sin verdad». Por eso repruebo y rechazo todo aquello que lo adultera o desfigura y traiciona y lo convierte en un payaso barato y sin raíces [...] O teatro o silencio. O teatro o nada[3].

Son estas palabras fundamentales para comprender a Rodolfo Usigli, para comprender que de ningún modo su teatro puede ser «nacionalista» como lo escribieron ciertos críticos, sino que es mexicano, como es mexicana la obra de Carlos Fuentes, de Octavio Paz, o de López Velarde entre otros, y que así, hablando del tiempo histórico, hablando del ser mexicano y del mito, Usigli alcanza la universalidad como la alcanzaron Shakespeare, Molière, Bernard Shaw o Pirandello. Héctor Azar no se equivocó y lo comenta en su «Retrato de Rodol-

---

[2] Rodolfo Usigli, «Antesala para *La última puerta*», en *Teatro completo* III, México, FCE, 1979, pág. 427.

[3] Usigli Rodolfo, *Teatro completo* I, México, FCE, 1963, pág. 11.

fo Usigli» publicado en *La Jornada* en abril de 1990, donde dice:

> El dramaturgo emprende el esfuerzo de trasladar a la escena aspectos característicos del ser y del estar mexicanos para proyectarlos en su universalidad caracterológica. Sí, un teatro de caracteres el de Usigli que parece haberse iniciado hace 300 años en las sutiles presencias del gran novohispano del siglo XVII que fue Ruiz de Alarcón, presagiando la configuración de un nuevo ente universal —el mexicano— que furtivamente aparecía en algunas de sus obras[4].

Pero el propio Usigli, ¿no había escrito ya en 1937 «Discurso por un teatro realista»[5] y en 1964 «Para alcanzar la universalidad precisamos ser mexicanos integrales»?[6].

En la misma perspectiva, Vicente Leñero, que, en el ámbito del realismo, al lado de Juan Tovar en el de lo antihistórico, aparecen, a mis ojos, como dos de sus «herederos» más directos, testimonia y escribe:

> Cuando los descubrí [el aspecto histórico y realista de la obra de Usigli], me sentí muy relacionado con él. Y yo, por eso, los considero a él y a su obra como una poderosa influencia no solamente mía sino que de toda una generación. Yo pienso que gracias a Usigli el teatro mexicano no hace una profesión de fe en el realismo que todavía no se agota. Pienso que finalmente estamos reencontrando el realismo y yo diría también que esto está ocurriendo gracias a Usigli[7].

El 19 y el 20 de junio de 1979, la prensa capitalina unánime, volvía a descubrir al «caballero» Usigli, como lo llamaban sus compañeros de camino, del grupo sin grupo, de

---

[4] Héctor Azar, «Retrato de Usigli», *La Jornada Semanal*, núm. 42, México, abril de 1990, págs. 30-34.

[5] Rodolfo Usigli, *«Medio tono,* Discurso por un teatro realista» (1937), *Teatro completo* III, México, FCE, 1979, págs. 439-446.

[6] Rodolfo Usigli, «Para alcanzar la universalidad precisamos ser mexicanos integrales», *México en la Cultura*, México, 18 de octubre de 1964, págs. 1-4.

[7] Vicente Leñero, en Ramón Layera, *Usigli en el teatro: testimonios de sus contemporáneos, sucesores y discípulos,* México, CITRU, 1996, pág. 179.

«los Contemporáneos», sus amigos y enemigos Xavier Villaurrutia y Salvador Novo, más enemigos que amigos, y lo reconocía como «máximo dramaturgo mexicano del siglo XX» *(Uno más Uno)*, o como «auténtico ciudadano del teatro» *(Excelsior)*, después de haberlo criticado, rechazado, luego ignorado, de tal modo que José Emilio Pacheco podía escribir en *Proceso* «Muerte y Resurrección de Rodolfo Usigli», Jorge Ibargüengoitia en *Vuelta*, «Recuerdo de Rodolfo Usigli», y Salvador Elizondo en *Vuelta* también, «La tragedia del trágico»[8].

Tal reconocimiento póstumo, tal resurrección por parte de la «intelligentsia» mexicana que durante tanto tiempo lo había ignorado o cubierto de oprobio, «arrojado a las gemonías», bien era lo menos que podía hacer para su mejor dramaturgo, para quien había conocido el éxito mundial con *El gesticulador*, para quien había obtenido, aunque muy tarde, el Premio Nacional de Letras en 1972, el Premio Quetzalcoatl de Poesía en 1974, para quien había dirigido el «Teatro Popular de México» entre 1973 y 1977. Tal reconocimiento desembocaba, primero, en la publicación, ese mismo año de 1979, del tercer tomo de su *Teatro completo* por el Fondo de Cultura Económica, luego en la publicación, en 1981, de su obra poética, bajo el título *Tiempo y memoria en conversación desesperada,* por la Universidad Nacional Autónoma de México, en la colección Textos de Humanidades, con una introducción muy valiosa de José Emilio Pacheco, y, por fin, con la publicación de su única novela conocida, *Ensayo de un crimen,* primero por las ediciones V Siglo, colección Terra Nostra en 1980, luego por las ediciones Océano, que, ante el éxito público, vuelve a editarla en 1987.

Nace en tierra mexicana, en la capital, y hereda un criollismo algo particular: madre austro-húngara, nacida en Polonia, y padre italiano, y crece dentro de un sector muy desfa-

[8] *Uno más Uno,* México, 19/6/79, págs. 16-17.
   Excelsior, México, 20/6/79, pág. 1 y pág. 22.
   Proceso, México, 15/9/80, núm. 202, págs. 46-47.
   Vuelta, México, agosto de 1979, núm. 33, págs. 34-35.
   Ibíd., pág. 49.

vorecido de la pequeña burguesía, el «medio tono» de la clase media. Además, Usigli va a vivir su infancia y su adolescencia en contacto con la violencia de la fase armada de la Revolución. Tiene cinco años cuando empieza la Revolución y quince cuando se institucionaliza:

> Mis recuerdos de infancia me autorizan a denunciar del modo más enfático esta pugna vertiginosa —que se refleja aún sobre nosotros— en la que, perdida toda norma, la Revolución se convirtió en el lobo de la Revolución[9].

De aquella época va a guardar huellas, marcas indelebles que se vuelven obsesionantes en su novela como en sus ensayos pero sobre todo en su obra dramatúrgica. En ella encontramos una oposición activa al orden establecido por la clase dominante, es decir, leemos el discurso revelador de una posición en conflicto con y dentro de la formación discursiva que la domina y que está en el poder. Esta oposición activa que Usigli llama también «gesticulación» va a ser el tema obsesionante de su obra y parte de una filosofía anarquizante de la Revolución:

> Un niño de una generación que vio morir seres humanos y arder cadáveres en las calles de la ciudad, que comió el pan ázimo y bebió el vinagre de la Revolución, que no tuvo otra diversión ni escape romántico que la Primera Guerra Mundial y que, por esto, cree en la necesidad de la Revolución como idea, tiene cuando menos, derecho a opinar. Pero lo tiene, sobre todo, porque ha visto también a la Revolución traicionada, porque ha visto subir la hez en la marea política, y porque ha visto subir la cultura y la vida del espíritu pospuestas diariamente por obra de los malos políticos y de los falsos revolucionarios. Y más aún, porque ese niño y esa generación llevan la Revolución en la sangre, y la quieren limpia (...) y llevar la Revolución en la sangre significa, por supuesto, llevar en sí una insatisfacción perpetua, ser indisciplinado en clase, rebelde al medio y a los dogmas y en el trabajo; ser independiente en la opinión, desdeñar lo convencional y poseer una

---

[9] Rodolfo Usigli, «Ensayo sobre la actualidad de la poesía dramática», en *Teatro completo* III, México, FCE, pág. 502.

voz que suena siempre a protesta (...). No es mal resumen de todo esto *El gesticulador* que ya he llamado un símbolo de México, y parece indudable que si otras gentes protestaran en obras, tendríamos ya un teatro nacional digno de ese nombre[10].

Usigli se proyecta en su teatro, se pone en «abyme» para mejor comprenderse y mejor representar su mexicanidad:

> Nacido en México, de padres europeos no españoles, he descubierto, por ejemplo, que nada me separaba de esta tierra; que disfruto, para ver sus problemas, de un perspectiva extraordinaria, orgullosa y apasionada y de una presencia sin retorno a Europa[11].

En *Las madres* (1949-1960) nos da como decorado su barrio de San Miguel y su calle, San Juan de Letrán, en plena capital, la cual, alternando, se disputaban los ejércitos de Carranza, Pancho Villa y Emiliano Zapata, amigos un día y enemigos el otro. Es esta pieza un homenaje directo a su madre Carlota (Doña Julia en la pieza que pone en escena a cuarenta y siete personajes en un fresco autobiográfico e histórico que se desarrolla a lo largo de tres años: 1915, 1916, 1917) «viuda joven» que tuvo que cumplir con múltiples quehaceres para atender a las necesidades y la educación de sus niños: Ana, Aída, Alberto y Rodolfo. Sin dinero, sin recursos suficientes para conseguir una escolaridad regular y formal, el joven Rodolfo tiene que trabajar muy joven, primero como pasante de comisionista en casa de un comerciante norteamericano en productos parafarmacéuticos, con el cual perfecciona su conocimiento de la lengua inglesa, luego como mecanógrafo bilingüe (inglés-español), pero nunca abandona su gusto por la lectura y su amor al teatro y ello a pesar de una enfermedad originada en un ojo estrábico que lo afectó largo tiempo:

---

[10] *Ibíd.*, pág. 503.
[11] Rodolfo Usigli, «Prólogo a *Corona de sombra*», *Las tres coronas*, México, Porrúa, 1972, págs. 59-74.

A los siete u ocho años me aprendí fiel y puntualmente, de memoria, con acotaciones y todo, los siete actos de *Don Juan Tenorio;* y en las raras ocasiones en que lograba vencer mi gran timidez originada en un ojo estrábico (fui prácticamente ciego hasta los tres años) (...) repetía pasajes interminables de la Zarzuela, la opereta o el melodrama que acababa de ver en el antiguo Teatro Hidalgo[12].

En la pieza *(Las madres),* Rodolfo Usigli se pone en escena y se mira en el espejo-recuerdo de su niñez al través de su personaje Ricardo, contruyendo así el espacio escénico a imagen de su propio espacio psíquico:

> DOÑA JULIA.—...Ricardo, niño, no sigas leyendo con esa vela. Te hace daño a los ojos.
>
> FERNANDO.—*(Pasando al lado de afuera del mostrador)* ¿No le molesta que me quede un poco más señora?
>
> DOÑA JULIA.—¿Quiere Ud. sentarse aquí afuera? Voy a darle una taza de café. *(Ricardo sale, se sienta tras el mostrador, cerca del quinqué y sigue leyendo.)*
>
> FERNANDO.—*(...) (A* RICARDO.) ¿Qué edad tienes, chiquillo?
>
> RICARDO.—Nueve *(sin dejar de leer).*
>
> FERNANDO.—¿Y te gusta leer?
>
> LA VOZ DE DOÑA JULIA.—*(Desde adentro.)* Lee desde que cumplió los cinco. ¡Con ojos enfermos! ¡No sé que voy a hacer con él![13]

---

[12] Rodolfo Usigli, «Tres comedias y una pieza a tientas», *Teatro completo* III, México, FCE, 1979, pág. 281.

[13] Rodolfo Usigli, *Las madres,* en *Teatro completo* II, México, FCE, 1966, pág. 645. Usigli se pone en escena de la misma manera en *El caso Flores* (1972), *Teatro completo* III, págs. 198-225. En esta obra breve, «comedieta amargosa en un acto y tres evocaciones», vuelve a evocar las molestias que le causó su estrabismo congénito durante su niñez: «*El cliente segundo:* (...) Para mí las impresiones del niño moldean al hombre, y si busco a aquel niño es para volver al origen del mal y acabar con un trauma que es un lastre para mí, hasta ahora (...)» (pág. 205): «*El cliente primero:* (...) Época de la Revolución. Para aquellos niños hambrientos, empeñados en una lucha por sobrevivir y a quienes amamantaba con leche amarga aquella hora, un defecto físico tiene que haber sido algo grotesco, imperdonable... Supongo que él no podía jugar a la pelota por sus malos ojos, y que todos los días le echaban en cara su inferioridad los compañeros... Me figuro que a diario lo llamaban bizco, ciego, biscorneto» (págs. 207-208).

Estos ojos enfermos de Ricardo son los del autor Rodolfo y al lado de ese defecto ocular, y tal vez como reacción en contra, irrumpen otros signos definitorios, como la lectura y la vocación por la escritura:

> FERNANDO.—No es malo leer. Se forma un mundo aparte. Lo que es malo es escribir: se queda uno sin mundo propio.
> RICARDO.—A mí me gusta escribir.
> FERNANDO.—¿Ah, sí? ¿Y qué escribes: versos, cuentos?
> RICARDO.—Novelas de misterio, desde hace dos años (...).
> FERNANDO.—¿Con que, eres escritor?
> RICARDO.—*(Leyendo.)* Todavía no, quiero ser[14].

Ricardo reúne metonímicamente los rasgos de carácter, los signos distintivos de Rodolfo Usigli niño: «Yo me mantenía fiel a mis viejos amores y leía cuanto papel o libro dialogado caía entre mis manos»[15]. Y más adelante, en el mismo ensayo, habla de «la voracidad con que leía yo novelas» y confiesa «yo quería escribir novelas y fui tan lejos en mi ambición que tiré más de año y medio en dos que, con buen sentido, quemé más tarde»[16]. Lee mucho Usigli, empezando por los dos primeros tomos de la obra del dramaturgo mexicano Manuel Eduardo Gorostiza, ganadas en un premio escolar en 1917. Los devora varias veces y hasta se encapricha, según nos cuenta, «por querer representar en un cuarto de vecindad *Las costumbres de antaño o La pesadilla*»[17]. El poeta José Emilio Pacheco lo subraya y le rinde homenaje:

> El joven Usigli se forjó autodidácticamente la mayor cultura en el campo de su interés que alguien ha poseído entre nosotros. Lo demuestran sus libros críticos, por desgracia jamás reeditados[18].

---

[14] Rodolfo Usigli, *Las madres*, ed. cit., pág. 645.
[15] Rodolfo Usigli, «Tres comedias y una pieza a tientas», *Teatro completo* III, México, FCE, 1979, pág. 282.
[16] *Ibíd.*, pág. 284.
[17] *Ibíd.*, pág. 285.
[18] José Emilio Pacheco, «Rodolfo Usigli: La indignación y el amor», Prólogo a *Tiempo y memoria en conversación desesperada*, México, UNAM, 1981, pág. 10.

De noche, en la Alianza Francesa, estudia y aprende francés con M. Vincent, lengua que hablaba y escribía mejor aún que sus futuros compañeros Villaurrutia, Torres Bodet..., y estaba muy ufano de ello:

> Los jóvenes acomodados que asistían a la escuela preparatoria (Xavier Villaurrutia, Jaime Torres Bodet entre otros) leían a Rodenbach, a Francis Jammes, a Baudelaire, a Henri de Régnier; pero además procedían del colegio francés de Morelos, en tanto que yo y otros nos originábamos en el pueblo[19].

Hasta escribe una pieza en francés, *4 Chemins 4,* en 1932 para librarse, dice, de la influencia francesa, pero más adelante añade:

> El francés vino a constituir mi lengua predilecta de fuga fuera de la incomprensiva realidad que me rodeaba[20].

Además, aprende inglés de manera autodidacta al contacto de este comerciante norteamericano que lo emplea, como «meritorio», como ya lo apunté, y confiesa:

> Entre 1925 y 1931 leí un promedio de cuatro piezas diarias, originales o traducidas al francés, sin contar mis encuentros con Ben Jonson, Oscar Wilde y, menos frecuentemente, Shakespeare y los clásicos griegos bastantes difíciles de asimilar a esa edad (...). En todo caso, Molière estaba ya en mi sangre para entonces[21].

Muy temprano se interesa por el teatro, tiene diez u once años de edad cuando desempeña un papel de comparsa en el Teatro Colón, en una pieza para niños de Gregorio Martínez

---

En 1996, el Fondo de Cultura publica el tomo IV de *Teatro completo* de Rodolfo Usigli; en él Luis de Tavira compila y edita la mayoría de los textos críticos hasta la fecha no reeditados. Falta todavía *El itinerio del autor dramático* (1940).

[19] Rodolfo Usigli, «Tres comedias y una pieza a tientas», *op. cit.,* páginas 290-291.

[20] *Ibíd.*

[21] *Ibíd.,* pág. 285.

Sierra, *El Reino de Dios*. En 1923 presencia los cursos de arte dramático en «la Escuela Nocturna de Arte y Declamación», parte anexa del Conservatorio Nacional. Un año más tarde se inicia a la crítica teatral en una revista popular, *El Sábado*, que cambia el nombre después por *El Martes:*

> Visitaba a diario teatros de revista y de comedia (los tramoyistas, como al personaje de *La crítica de la mujer no hace milagros*[22] (...), me tiraban clavos y bolsas de agua y la sonrisa de las vicetiples a cambio de una mención en la revista se desvanecía ante mi incapacidad económica para invitarlas a cenar), y tenía intercurso con tiples, vicetiples, directores, músico, actores y actrices[23].

Pero este Usigli, joven periodista, quería escribir novelas. Todavía no aparecía su deseo de escribir teatro y lo explica a continuación:

> Quiero decir con esto (...) que mientras vivía yo físicamente dentro de los teatros, intelectual y emotivamente vivía fuera del teatro. La razón clave es quizá la simplísima de que no había en México un teatro en marcha, en lucha, capaz de conmoverme y exaltarme[24].

A partir de un «encuentro casual» con un amigo de infancia[25] en 1925 se da cuenta de su vocación escondida de autor dramático:

> Un encuentro casual con un amigo de infancia (...) un mediodía de verano de 1925, vino a poner las cosas en su lugar: —¿no recuerdas cuánto te interesaba el teatro, ni tus juegos en los títeres, ni cómo nos recitabas hasta el aburrimiento pasajes de las comedias que veíamos (...). De esta conversación memorable con mi amigo Luis salí, si no orientado, transfigu-

---

[22] Rodolfo Usigli, *T. C.* I, ed. cit., 1963, págs. 893-914.
[23] *Ibíd.*, pág. 284.
[24] *Ibíd.*
[25] Se trata de Luis Gabarrón, según me lo comentó el propio Usigli en nuestras entrevistas, cuyo padre era electricista en el Teatro Colón. Luis aparece representado en *Las madres* bajo su mismo nombre.

rado. La idea del teatro se reinstaló en mí con mayor fuerza que nunca, y, aprovechando mi asistencia en la Alianza Francesa, puedo decir que aprendí francés leyendo obras teatrales[26].

Decide entonces dedicarse definitivamente al teatro y escribe en 1930 su primera pieza (entre las que se conservan), *El apóstol,* publicada en el suplemento literario de *Resumen* en 1931.

En esta pieza, leída ante la Sociedad de Amigos del Teatro mexicano pero nunca estrenada, se siente ya toda la fuerza de sus futuros personajes en busca de autenticidad, de verdad, al lado de una denuncia de lo artificial del mundo burgués. La gesticulación estaba en marcha.

A partir de esta primera obra y de las que siguen, *Falso Drama* (1932) y *4 Chemins 4* (1932), a las que él califica de «teatro a tientas», Usigli emprende su recorrido dramático y exterioriza de varias maneras su «rampante deseo de escribir teatro» y, es de añadir, sobre el teatro, mientras ocupa varios cargos para ganarse la vida, como los de profesor de historia de México en la Escuela de Medicina Veterinaria, profesor de historia del teatro mexicano en la Escuela de Verano de la Universidad Nacional, y sobre todo, entre 1932 y 1934, director fundador del Teatro Radiofónico de la Secretaría de Educación Pública, antes de ser «jefe de la Oficina de Prensa» del gabinete del Presidente de la República, el general Lázaro Cárdenas:

> Vasconcelista en 1929, estaba fascinado por la transición política que se presentía ya en México después de la elección del general Lázaro Cárdenas[27].

Renuncia en 1935 ya que espera la publicación de sus *Tres comedias impolíticas (Noche de estío, Estado de secreto, El presidente y el ideal).* Sólo *Estado de secreto* en Guadalajara en 1936 y *Noche de estío* en 1950 en México D. F. se estrenarán. Es cierto que estas tres piezas pueden leerse hoy como obras de un intelec-

---

[26] Rodolfo Usigli, *T. C.* III, ed. cit., págs. 284-285.
[27] *Ibíd.*

tual orgánico del cardenismo en su lucha contra el «máximo» Plutarco Elías Calles.

Si Usigli puede emprender su itinerario de autor dramático es precisamente porque «Otra hora suena en México para el teatro» como lo escribe en *México en el Teatro* en 1932[28]. «Otra hora» y otro mundo para la creación de un teatro nacional presentado como dos manifestaciones aparentemente opuestas en la forma, pero de ningún modo incompatibles en el fondo: el teatro de revista y el teatro como espectáculo total soñado por José Vasconcelos, entonces Secretario de la Educación Pública. Estas dos formas espectaculares han influido cada una a su modo sobre el advenimiento del teatro moderno en México. Por un lado, el intento de José Vasconcelos de transponer en México la experiencia del teatro clásico y de dar al teatro su fuerza vital, una higiene del cuerpo y del espíritu, se realiza entre 1922 y 1924 con el soporte de la construcción de un estadio, en el antiguo «Parque Luna» de la capital[29]. Seducido por la representación de *La Cruza* y de *Los novios*, de Rafael M. Saavedra, en el decorado natural de las pirámides precolombinas, por el Teatro Regional de Teotihuacán, Vasconcelos tiene la idea de un espectáculo total, al aire libre, fusión del gesto y de la palabra, del canto coral y del baile, expresión de la comunión entre actores y espectadores en busca de la belleza y de la armonía[30]. Aunque este tipo de experiencia se suspendió después de la dimisión de Vasconce-

[28] Rodolfo Usigli, *México en el Teatro*, México, Imprenta Mundial, 1932, pág. 119.

[29] Véase Claude Fell, «Théâtre et Société dans le Mexique révolutionnaire», *Études et Documents*, t. II, Université de Rennes, ed. Klinccksteck, 1980, págs. 47-68. Claude Fell muestra cómo José Vasconcelos va a lanzarse en una verdadera empresa de restauración nacional y «el teatro —la creación de un teatro nacional— constituye una de las preocupaciones constantes de los motores del sistema cultural que se proponía instaurar» (pág. 47).

[30] Véase Daniel Meyran, *El discurso teatral de Rodolfo Usigli*, México, CITRU/ IFAL, 1993, págs. 178-190, y Daniel Meyran, «El teatro breve y la toma de conciencia de la mexicanidad: de Luis Quintanilla (Teatro sintético) a Elena Garro (Teatro poético)», *América: Formes brèves de l'expression culturelle en Amérique Latine de 1850 à nos jours*, núm. 18, t. 2, París, Presses de la Sorbonne nouvelle, 1997, págs. 469-475.

los, sus iniciativas en todo lo que se refiere a las artes y letras fueron determinantes para el nuevo teatro mexicano.

Por otra parte, y en sentido opuesto, en el interior de los salones de teatro «a la italiana», el teatro «frívolo» o de «revista» conoce un entusiasmo popular considerable. Hasta el propio Vasconcelos cree en la fecundidad de las formas teatrales menores de «género chico» o de «revista»[31]. Ya con los favores del público, este género verá notablemente enriquecidas sus posibilidades de intervención en el discurso sobre el teatro y eso gracias a la caída del autoritarismo porfirista y gracias a la nueva libertad de expresión reconocida por la Revolución. El joven Usigli se nutre de aquel medio y ambiente y ve en él los prolegómenos del teatro mexicano y el futuro de su porvenir. En *México en el Teatro* (1932) lo analiza muy pertinentemente:

> He aquí el tiempo oportuno para el triunfo de los géneros menores, como tales esclavos de la oportunidad. De aquí el secreto del futuro del teatro. Confinada poco a poco la zarzuela en la producción española, cede una parte de su extenso campo a la revista, sucesión de cuadros ensartados por el hilo único de un paseante o turista, que tendrá tipos genéricos como la vendedora de hojas y la borrachita, el extranjero grotesco, el candidato «poire», el gendarme, cuico*, tecolote* o genízaro*, el payo venido a la capital [...] los problemas nacionales inmediatos, los conflictos de actualidad, el ambiente político, son tratados en esos escenarios en chistes a menudo obscenos en músicas a menudo vulgares. [...] Todo esto da a la revista un derecho de prolegómeno del teatro del siglo[32].

La revista habla el discurso político sobre el modo de la sátira, exhibiendo por primera vez el lenguaje del «pelado» en el cual las clases populares se reconocen, asegurando el éxito del

---

[31] Véase José Vasconcelos, *Discursos 1920-1950*, México, Ed. Botas, 1950, págs. 115-116.

[32] Rodolfo Usigli, *México en el Teatro*, ed. cit., pág. 20.

*cuico: palabra vulgar, determina a los agentes de policía soplones. De «cuicatl», el canto.

*tecolote: lechuza, apodo del gendarme.

*genízaro: dícese del descendiente de cambujo y china: vocabulario de «castas».

R E X
EL TEATRO DE MEDIANOCHE

GRUPO DE REPERTORIO
Director: RODOLFO USIGLI

PRIMERA TEMPORADA

MARZO A MAYO · 1940

Portada del programa de mano del Teatro de Medianoche.
Acervo del CITRU.

personaje y del actor Mario Moreno «Cantinflas»[33]. Entonces el espectáculo está a la vez sobre el escenario y en la sala donde el público, entendiendo y asimilando lo que vive y como lo vive, interviene apreciando o insultando a los actores. Además, con «la revista» el teatro mexicano toma conciencia de la vitalidad y de la flexibilidad del lenguaje popular mexicano, con el aprendizaje de un lenguaje de la ciudad con entonaciones nuevas que se desprenden del acento castellano y con usos, en público, de expresiones consideradas como «groseras», los «albures», que pertenecen al registro del vocabulario popular. Así «La Revista» tiene el mérito de abrir el discurso teatral a la actualidad y al lenguaje cotidiano, y, así, homogeneizar a un público, reuniendo en una representación teatral a todas las clases de la sociedad mexicana. En su *Autobiografía*, el pintor José Clemente Orozco testimonia:

> Uno de los lugares más concurridos durante el huertismo fue el Teatro María Guerrero, conocido también como María Tepache (...). El público era de lo más híbrido: lo más soez del peladaje se mezclaba con intelectuales y artistas, con oficiales del ejército y de la burocracia, personajes políticos y hasta secretarios de Estado. La concurrencia se portaba peor que en los toros; tomaba parte en la representación...[34].

En el mismo tiempo, entre 1920 y 1940, las investigaciones en materia de dramaturgia se intensifican y las experiencias teatrales se multiplican. 1923 ve la creación de la Unión de Autores Dramáticos y 1925 la aventura teatral del «Grupo de los Siete» porque estaba constituido por siete dramaturgos: José Joaquín Gamboa, Víctor Manuel Díaz Barroso, Carlos

---

[33] Entre los títulos más famosos de «revistas» se puede notar: *Las calles de Don Plutarco* y *La huerta de Don Alfonso* en febrero de 1921 en el Teatro Principal; en abril de 1922: *Zapatero a tus zapatos,* Teatro Principal; en agosto de 1922: *¡Vaya ministro! Don Adolfo en Nueva York;* en septiembre de 1923 en el Teatro Lírico: *Se solicitan Callistas...*

Es de notar el éxito en el INBA en 1992 de la revista *Chin-chun-chan y las musas del país* de Elizondo y Navarro, con dramaturgia de Vicente Leñero y dirección de Enrique Alonso, dentro de la serie «homenaje al teatro de principios de siglo».

[34] José Clemente Orozco, *Autobiografía*, México, Era, 1970, pág. 42.

Noriega Hope, Francisco Monterde, Ricardo Parada León y los hermanos Carlos y Lázaro Lozano García. La primera temporada teatral del grupo ocurre entre julio de 1925 y enero de 1926, en el Teatro Virginia Fábregas, donde se representan unas cuarenta obras, todas de autores mexicanos. La acogida de la crítica es, en general, favorable y hasta una de las piezas estrenadas, *Véncete a ti mismo,* de Díez Barroso, es premiada por *El Universal Ilustrado.* Alentado por este éxito, se prepara una segunda temporada, en colaboración con María Luisa Ocampo, a principios de febrero de 1926, pero desgraciadamente el público no responde, el «Grupo de los Siete» se disuelve después de la centésima función[35]. Muy rápidamente y con tono burlón, los periodistas y la crítica prefieren dar al «Grupo de los Siete» el apodo de «Los Pirandellos», sobre todo a causa de la traducción y la lectura de *Seis personajes en busca de autor,* de Luigi Pirandello, hecha por Gustavo Villatero, en el curso de una sesión de lecturas dramatizadas en el ámbito de la Unión de Autores Dramáticos en 1925, lectura que dejó una profunda huella en los que presenciaron el evento[36]. Cinco años más tarde, el 21 de mayo de 1930, aparece en la revista *El Espectador*[37] un artículo firmado con el seudónimo de Marcial Rojas[38]. Este artículo es una crítica irónica, bajo la máscara de Pirandello, del nepotismo ejercido por el actor estrella y de la política cultural en contra de los jóvenes dramaturgos mexicanos. Se divierten los redactores de la revista de los intentos ubuescos de «Los Pirandellos»

---

[35] Véase Rodolfo Usigli, *México en el Teatro,* ed. cit., pág. 130.

[36] Véase Daniel Meyran, *Tres ensayos sobre teatro mexicano contemporáneo,* Roma, Bulzoni, 1996. *Seis personajes en busca de autor,* de Luigi Pirandello, se estrena en abril de 1927 en el Teatro Virginia Fábregas por la compañía Gómez de la Vega.

[37] Creada en enero de 1930 por Celestino Gorostiza y Humberto Rivas, esta revista tiene como comité de redacción el de la revista *Contemporáneos* (con excepción de Bernardo Gastelum, González Rojo y Samuel Ramos que, sin embargo, colaboran con ella). Lo integran José y Celestino Gorostiza, Xavier Villaurrutia, Ortiz de Montellano, Salvador Novo, Rodríguez Lozano, Julio Castellano, Abreu Gómez y Ricardo de Alcázar.

[38] Marcial Rojas es el seudónimo colectivo de Jorge Cuesta, José Gorostiza, Bernardo Ortiz de Montellano, Jaime Torres Bodet y Xavier Villaurrutia. Más tarde lo utilizará Miguel Capistrán.

en busca de un autor o de un actor que quiera representar sus obras.

Sin embargo, con ellos, la clase media o la pequeña burguesía urbana accedía al escenario, con sus máscaras, con sus hablas, con sus costumbres, desgraciadamente en un molde anticuado, pero iba a ser un hito en la historia del teatro en México. En la misma perspectiva y con los mismos trastos que el «Grupo de los Siete», la dramaturga Amalia Castillo Ledón crea en 1929 «La Comedia mexicana». Después de dos temporadas, el grupo se separa, la experiencia aborta por culpa de discusiones internas de las que se responsabilizó al comité directivo[39]. Tras un eclipse de seis años, «La Comedia mexicana» hace una breve aparición en 1936 y luego en 1938 bajo la dirección de Ricardo Parada León, antes de desaparecer definitivamente, no sin haber tenido el mérito de llevar a la escena el teatro político con *Padre Mercader* y *Sombras de Mariposas,* de Carlos Díaz Dufoo, y luego *Masas,* de Juan Bustillo Oro. Dentro de esta perspectiva de creación de un teatro nacional, es de notar la irrupción de un teatro político que da la palabra a los personajes y a los acontecimientos de la Revolución o nacidos de la Revolución. Ésta es la empresa que deciden llevar a cabo Juan Bustillo Oro y Mauricio Magdaleno, con el apoyo de la Secretaría de Educación Pública, creando el «Teatro de Ahora» en diciembre de 1931. Ambos directores piensan que «La Comedia mexicana» tomó las cosas al revés y que, aunque sea loable presentar a autores mexicanos, hay que hacerlo sobre un escenario nuevo, con una dramaturgia nueva, reflejo de la evolución del teatro moderno en el mundo[40]. Bustillo Oro y Magdaleno están convencidos de dos cosas: primero, el teatro debe mostrar «aquí» y «ahora», la realidad de su época y deshacerse de las modas del pasado; segundo, el teatro debe apoyarse sobre nuevas técnicas dramatúrgicas, por ejemplo, las voces en *off* de la radio o el soporte de la imagen

---

[39] Véase Antonio Magaña Esquivel, *Medio siglo de teatro mexicano,* México, INBA, 1964, págs. 40-50.

[40] Véase Alejandro Ortiz Bulle-Goyri, «El teatro político mexicano de los años 30: algunas consideraciones», en Daniel Meyran *et alii, El teatro mexicano visto desde Europa,* Perpignan, CRILAUP/PUP, 1994, págs. 107-121.

fílmica. En el proyecto de «Teatro de Ahora» que presentan a la prensa el 27 de diciembre de 1931, insisten sobre unas prioridades en busca de un teatro nacional mexicano:

> ¿Qué importan, en efecto, los problemas matrimoniales del triángulo francés, los problemas sexuales o cualquier otra clase de conflictos de esa índole, mientras se agiten en la tierra masas de hambrientos que piden a gritos el pan de cada día? Hoy existe una realidad distinta de la de ayer; el «Teatro de Ahora», al interpelarla, lleva el verdadero objeto de nuestro teatro, se vivifica con temas no tratados por el teatro occidental. En América, es el primer esfuerzo que se hace en este sentido[41].

Se estrenan en la primera temporada, de febrero a marzo de 1932, en el Teatro Hidalgo: *Emiliano Zapata* y *Pánuco 137*, de Mauricio Magdaleno (temas de la Revolución mexicana y de la explotación petrolera); *Los que vuelven*, de Juan Bustillo Oro (tema de la emigración hacia los Estados Unidos en el momento de la crisis de 1929); *Tiburón*, una transposición mexicana de *Volpone*, de Ben Jonson. Desdichadamente, no se renovará la experiencia por falta de apoyo financiero. Sin embargo, me parece obvio que la acción teatral llevada a cabo por el «Teatro de Ahora» es innovadora en lo que se refiere tanto a la temática como a la dramaturgia, porque en su discurso «se siente el latido de lo mexicano». Anuncia, en cierto modo, el ambiente político del futuro teatro «impolítico» de Rodolfo Usigli y preludia el clima de *El gesticulador*. En el prólogo que consagra, entre marzo de 1933 y abril de 1935, a su obra *Noche de estío*, «una comedia shaviana», Usigli apunta esta influencia y escribe:

> No puedo seguir adelante sin recordar el intento de drama político y social realizado en febrero de 1932 por los señores Juan Bustillo Oro y Mauricio Magdaleno en el Teatro de la Secretaría de Educación Pública, con el marbete de «Teatro de Ahora» (...). El Teatro de Ahora es sin duda, uno de los ja-

---

[41] Rafael Battino, «Lo que significa el Teatro de Ahora», *Revista de Revistas*, México, 14 de abril de 1932, pág. 9.

lones de mi pensamiento en la preelaboración de esta pieza *(Noche de estío)* y de sus familiares[42].

Pero hay otra tendencia experimental teatral que tiene su importancia para la emergencia del teatro mexicano moderno. Surge al mismo tiempo, en los años 1925-1930, una tendencia universalista, «un movimiento de esencia literaria»[43], comenta Usigli, que aparece a partir de enero de 1928: el «Teatro de Ulises». Este grupo experimental rechaza el «mexicanismo» a ultranza, y traduce a dramaturgos extranjeros modernos (Charles Vildrac, Jean Cocteau, Henri-René Lenormand, Eugene O'Neill...) y toma su nombre de la revista *Ulises* «revista de curiosidad y crítica» que ellos mismos, Salvador Novo, Xavier Villaurrutia y Gilberto Owen, habían creado en 1927, con el fin de enseñar al público mexicano, según un pacto no conformista y cultural, un panorama literario y artístico de obras contemporáneas producidas en México y en el extranjero, en Francia sobre todo, pero también en Italia, Alemania y Estados Unidos[44]. Con «Ulises» llegan los poetas al teatro y es la primera manifestación de la interrogación sobre el misterio escénico con un repertorio nuevo. El «Teatro de Ulises» se instala en un local privado, en el número 42 de la calle Mesones, en el centro colonial de México y empieza sus actividades en enero de 1928 con dos programas originales: el primero con *La puerta reluciente,* de Lord Dunsany (traducción de Enrique Jiménez Domínguez), y *Simili,* de Claude Roger Marx (traducción de Gilberto Owen), las dos obras son puestas en escena por Julio Jiménez Rueda; el segundo con *El peregrino,* de Charles Vildrac (traducción de Gilberto Owen), *Orfeo,* de Jean Cocteau (traducción de Corpus Barga) y *Ligados,* de Eugene O'Neill (traducción de Salvador Novo). Todas estas

---

[42] Rodolfo Usigli, «Una comedia shaviana: *Noche de estío», T. C.* III, ed. cit., pág. 303.

[43] Rodolfo Usigli, *México en el Teatro,* ed. cit., pág. 150.

[44] Está integrado este grupo por Gilberto Owen, Xavier Villaurrutia, Salvador Novo, Celestino Gorostiza, Rafael Nieto, Ignacio Aguirre, Carlos Luquin, Delfín Ramírez Tovar, Isabela Corona, Clementina Otero, Manuel Rodríguez Lozano, Roberto Montenegro, Julio Castellanos, Julio Jiménez Rueda y Antonieta Rivas Mercado, su musa y mecenas.

obras eran desconocidas del teatro comercial, desconocidas de los empresarios y directores tradicionales. La acogida de la crítica fue a veces entusiasta, a veces áspera, pero la finalidad de la representación fue alcanzada. El grupo «Ulises» decide, pues, intentar la aventura pública, deja el salón particular de Mesones y se arriesga en el Teatro Virginia Fábregas, a partir de marzo de 1928. La experiencia fracasa, no resiste a los ataques de la vieja guardia, celosa de sus prerrogativas en materia teatral. En mayo de 1928, el «Teatro de Ulises» deja de existir y con él la revista del mismo nombre. Observando el fenómeno, Rodolfo Usigli comenta:

> En el caso del Teatro de Ulises, como, por lo demás, en todos los casos del teatro en México, intervino un típico espíritu de facción que limitó la temporada y ancló el esfuerzo hecho[45].

Sin embargo, el movimiento de renovación del teatro en México ya había despegado. La revista *Contemporáneos* nacía de las cenizas de *Ulises*, e iba a influir en el discurso cultural mexicano entre 1928 y 1931 con los mismos personajes[46]. En 1932, Celestino Gorostiza forma el «Teatro de Orientación», sostenido económicamente por la Secretaría de Educación Pública. Después de cinco temporadas entre 1932 y 1934, a pesar de un proyecto innovador, «Teatro de Orientación» suspende sus actividades, cuando acababa de ofrecer al público, en el Teatro Hidalgo, cuatro obras de dramaturgos mexicanos: *El barco,* de Carlos Díaz Dufoo hijo, *Ifigenia Cruel,* de Alfonso Reyes, *En qué piensas,* de Xavier Villaurrutia, y *Ser o no ser,* de Celestino Gorostiza. Se tendrá que esperar cuatro años más y el nombramiento de Gorostiza a la cabeza del Departamento de Bellas Artes para que renazca «Teatro de Orientación» en 1938 para una última temporada, bajo la dirección de tres dramaturgos: Xavier Villaurrutia, Julio Bracho y Ro-

---

[45] Rodolfo Usigli, *México en el Teatro,* ed. cit., pág. 131.
[46] Véase Daniel Meyran, «Discours culturel et codes idéologiques: une lecture de la revue *El Espectador* au Mexique, en 1930», *América,* París-Sorbonne, junio de 1989, págs. 125-135.

dolfo Usigli, siendo cada uno responsable de su repertorio y de la elección de los actores[47]. La elección del repertorio es criticada por la prensa. El «Teatro de Orientación» desaparece entonces, a finales de la temporada, a pesar del último intento, cuya dirección incumbe a Rodolfo Usigli con la representación de *Biografía*, de Samuel N. Behrman, que traduciría y montaría en el Teatro Hidalgo, en mayo de 1939, en el ámbito del «Grupo del Repertorio».

Durante todos estos años, Usigli vive en el teatro y transita por una etapa de intenso aprendizaje histórico y dramatúrgico, que le conduce a sondear el pasado teatral de México, a explicar, así, la ausencia de una verdadera tradición, y a acompañar las experiencias teatrales de sus compañeros. En su opinión, el teatro, por supuesto, no puede aislarse de la vida del país:

> Para que México siga al teatro en su estado de cristalización definitiva, el teatro necesita primeramente seguir a México en su evolución[48].

Por ello piensa en la necesidad de tener un discurso en pro de un teatro realista en México:

> Ante todo, el teatro realista no me interesa (...). Pero el teatro realista me parece la única solución al mal del teatro en México[49].

En los años 30, en efecto, México está en la encrucijada de su historia. En ese año de 1930, mediante los «arreglos» del verano de 1929, que ponen fin al problema religioso[50], y de-

---

[47] Sólo dos obras se estrenaron: *Minnie la cándida*, de Massimo Bontempelli (trad. por X. Villaurrutia y Agustín Lazo, dirigida por X. Villaurrutia), y *Anfitrión 38*, de Jean Giraudoux (trad. y adaptada por Julio Bracho).

[48] Rodolfo Usigli, *México en el Teatro*, ed. cit., pág. 154.

[49] Rodolfo Usigli, «*Medio tono*, discurso por un teatro realista», *T. C.* III, ed. cit., pág. 439.

[50] Los «arreglos» se firmaron exactamente según las bases del acuerdo entre el presidente Calles y monseñor Ruiz y Flores, delegado apostólico. Este acuerdo se consiguió por medio del embajador de Estados Unidos, Dwight Morrow, y puso fin a la guerra civil «cristera» declarada en 1926.

bido a la ascensión a la presidencia de la República mexicana de Pascual Ortiz Rubio, elegido en noviembre de 1929, después del asesinato del general Ávaro Obregón en julio de 1928[51], se consagra al mismo tiempo el triunfo del radicalismo, encarnado con Plutarco Elías Calles[52], y la derrota del vasconcelismo junto con la de los intelectuales que lo apoyaron, como el propio Rodolfo Usigli, que testimonia en *Voces, diario de trabajo 1932-1933*:

> El 17 de noviembre de 1929, salí sin sombrero a la calle —cosa que no podía hacerse en ese tiempo sin que le gritaran a uno «loco»—, me asocié a varios jóvenes y recorrimos a pie la ciudad, en vano, tratando de votar por Vasconcelos —y de votar por primera vez en su vida— amenazados, cuando tratábamos de levantar actas, en vista de que nos negaban la cédula vasconcelista, por un círculo de gruesos garrotes. De esta experiencia saldría la idea de *Elecciones en un día de sol*, no escrita, en la que dos jóvenes que cumplen veintiún años el mismo día tratan de votar, presencian disturbios, ven muertos y heridos, la cosecha electoral hasta entonces y vuelven a sus casas desalentados para siempre de la democracia y de la Revolución mientras un viejo vecino que se asolea al atardecer comenta la esplendorosa belleza del sol que ha alumbrado a todos en ese día. En contraste con esta y otras amargas experiencias electorales que tocaron en mala suerte a mi generación, después he podido votar en libertad y seguridad absolutas y experi-

---

[51] El general Álvaro Obregón, presidente de la República mexicana entre 1920 y 1924. Asesinado en julio de 1928 por el místico José León Toral, unos días después de su reelección a la presidencia. A fines de 1926, Obregón había obtenido la reforma constitucional que modificaba el principio revolucionario de «no reelección» y el mandato pasaba de 4 a 6 años.

[52] El general Plutarco Elías Calles, presidente de la República entre 1924 y 1928. De 1929 a 1935 se convirtió en el «jefe máximo de la Revolución», con influencia para decidir sobre la designación de candidatos a la presidencia y sobre el gobierno de quienes eran elegidos. Fue el general Lázaro Cárdenas, elegido en 1934, el que consumió el fin del callismo, valiéndose del apoyo político de Portes Gil y de Múgica, del apoyo militar del general Cedillo y del apoyo sindical de Vicente Lombardo Toledano, Cárdenas modificó la situación prevaleciente cuando pidió entre el 13 y el 14 de junio de 1935 la dimisión de su gabinete para poder contar con ministros leales y nombró a Portes Gil en la jefatura del Partido Nacional Revolucionario (PNR). El 18 de junio de 1936, Calles dejaba el país para exiliarse en el extranjero.

mentar una patriótica satisfacción, aunque levemente teñida por una suerte de nostalgia de aquellos espectáculos o corridas en que el pueblo era el toro y a menudo el caballo de pica[53].

Además, estamos entre la autonomía de la Universidad proclamada en 1929 y la reforma del artículo tercero de la Constitución que en 1934 consagra el advenimiento y luego la desaparición de lo que se llamó «La educación socialista». Victoria Lerner en su comentario, en *Historia de la Revolución mexicana (periodo 1934-1940),* muestra que esta reforma educativa es una de las medidas reformistas que toma el gobierno del general Abelardo Rodríguez (1932-1934) en beneficio de las masas populares y de la clase media. Después de varias controversias y de debates apasionados, se aprueba el proyecto de reformas el 10 de octubre de 1934 por 36 votos contra 13. Narciso Bassols, secretario de Educación y promotor de esta reforma, había demitido de su cargo desde el 19 de mayo de 1934 para calmar, con su salida, a la opinión pública, alentada por la «Unión de Padres de familia» y las autoridades eclesiásticas. En 1940, dando cuenta de su mandato presidencial y en un espíritu moderador, el general Lázaro Cárdenas (1934-1940) limitaba la significación del término socialismo y lo consideraba como «orientación hacia nuevas formas de vida social y de justicia»[54].

Usigli hará de tal historia, el entorno y el ambiente de su teatro, particularmente de *El gesticulador* (1938) y de sus «Tres comedias impolíticas», entre ellas *El presidente y el ideal* en 1935.

Es obvio que el clima histórico y político de las «Tres comedias impolíticas»: *Noche de estío, El presidente y el ideal, Estado de secreto,* es el de «la Sombra del Caudillo», la sombra del general Plutarco Elías Calles (electo entre 1924 y 1928; controlando a presidentes fantoches entre 1928 y 1934, «el Maximato»;

---

[53] Rodolfo Usigli, *Voces, diario de trabajo (1932-1933),* México, Seminario de Cultura Mexicana, 1967, págs. 28-29.
[54] Victoria Lerner, *Historia de la Revolución mexicana (periodo 1934-1940),* México, Colegio de México, 1979, pág. 192.

rechazado y exiliado por Cárdenas entre 1935 y 1936). Es, sin la menor duda, Calles a quien parodia Usigli detrás de la máscara del personaje «El señor general» que termina *Noche de estío* asentando: «El señor general: (empujando los diarios con el pie). Aquí no pasa más que lo que yo quiero...»[55]. En *Estado de secreto,* el ataque es aún más fuerte: «proyectada en 1933 y escrita en cuatro días en 1935, esta comedia responde, junto con dos más, agrupadas bajo el título de "Tres comedias impolíticas", a una intención de suscitar la cólera del pueblo mexicano hacia los vicios característicos de pasados regímenes políticos»[56]. Usigli pone en escena a representaciones de la famosa «nueva clase rica», nacida de y por la Revolución. El personaje de Alfonso Suárez N., familiarmente llamado Poncho como dicen los *dramatis personae,* es un personaje complejo que está aquí para representar al tipo de «macho criminal» o «gángster mafioso», ejecutando las órdenes del Jefe Máximo, protegido por el Jefe Máximo:

EL SUBSECRETARIO.—*(a Poncho.)* ...Es Usted el hombre más poderoso de la política, después del Jefe[57].

Administrador, además, de cabarets y de una cadena de casinos de lujo, este personaje connota claramente la representación del general-presidente Abelardo Rodríguez, que administró también hoteles de lujo, cabarets, casinos, burdeles, etc.[58].

Pero la pieza que más cuenta de ese retrato crítico que nos hace Usigli de aquel final histórico del «Maximato», es *El presidente y el ideal,* nunca estrenada. Un personaje que está siempre en la sombra, nombra al nuevo presidente; ante la voluntad creciente de independencia de este nuevo presidente, corren rumores según las cuales «El Jefe» trataría, en la sombra, de destituirlo, y finalmente, después de muchas peripecias, se

---

[55] Rodolfo Usigli, *Noche de estío, T. C.* III, ed. cit., pág. 216.
[56] Rodolfo Usigli, «Entre acto», *T. C.* III, ed. cit., pág. 424.
[57] Rodolfo Usigli, *Estado de secreto, T. C.* III, ed. cit., pág. 377.
[58] Véase John Edwin Fagg, *Latin America. A General History,* Nueva York, Macmillan, 1977, págs. 544 y 548.

entera por la prensa de que el «Jefe Máximo» ha sido expulsado. Evidentemente, se lee el itinerario del presidente Lázaro Cárdenas que supo independizarse y rebelarse contra el Jefe Máximo. Busca Rodolfo Usigli la verdad de lo mexicano y la busca en la historia de México como la busca en la política o en el teatro. Por primera vez, la sociedad mexicana está representada en la escena teatral con sus conflictos, críticas, prejuicios, opiniones... Luis de Tavira, comentando «el Teatro histórico en la trilogía antihistórica de Rodolfo Usigli», concuerda con esta idea:

> Hay una evolución implícita en esa urgencia de verdad: Usigli parte de la observación del caso particular, trivial, de la vida diaria a una universalización del mexicano. Esta evolución (no cronológica) parece seguir sus pasos: un caso sin trascendencia de un instante de todos los días (ejemplos que usa de hipocresía en el epílogo de *El gesticulador);* la problemática personal *(El niño y la niebla, El gesticulador);* la autenticidad familiar y social *(Medio tono, La familia cena en casa);* la verdad política *(Tres comedias impolíticas, El gesticulador;* la verdad histórica del fenómeno mexicano (trilogía antihistórica)[59]. Y en la urgencia de verdad, autenticidad, conciencia del fenómeno personal y social, es donde Usigli ve la importancia del teatro[60].

No es por nada si Miguel, el hijo de César Rubio, al final de *El gesticulador* clama por la verdad:

> MIGUEL.—No dejaré perpetuarse una mentira semejante. Diré la verdad ahora mismo.
> NAVARRO.—Cuando se calme usted, joven, comprenderá cuál es su verdadero deber. Lo comprendo yo, que fui enemigo político de su padre. Todo aquel que derrama su sangre por su país es un héroe. Y México necesita de sus héroes para vivir. Su padre es un mártir de la Revolución.

---

[59] Se trata de *Corona de sombra* (1943), *Corona de fuego* (1960), *Corona de luz* (1963).
[60] Luis de Tavira, «Teatro: antihistoria del acontecer humano», en *Memoria de los homenajes a Rodolfo Usigli 1990 y 1991*, México, CITRU, 1992, pág. 82.

MIGUEL.—¡Es usted repugnante! Y hace de México un vampiro..., pero no es eso lo que me importa... es la verdad, y la diré, la gritaré.
(...)
MIGUEL.—¡La verdad! (...)[61].

Bien lo vemos, desde los años 30 ya, todos los personajes que van a constituir el elenco del teatro usigliano están en germén y el ambiente político anuncia el clima de *El gesticulador* (1938) como el de *Un día de éstos...* (1953) o de *Buenos días, señor presidente* (1972)[62]. Ya Usigli ha asentado que «El teatro, pues, viene a ser un artefacto para abrir los ojos y para airear la conciencia del mundo»[63].

En 1936 se aleja unos diez meses de México, aprovechando una beca de la fundación Rockefeller para cursar dramaturgia en la Universidad de Yale, en Estados Unidos. Comparte la beca con Xavier Villaurrutia; esta estancia fue benéfica y crucial para la producción teatral usigliana *(Alcestes, El niño y la niebla, La última puerta* se fechan en 1936) y para el futuro del teatro mexicano (varias influencias de O'Neill, Piscator...). Las cartas de Villaurrutia a Salvador Novo, publicadas, nos permiten conocer el trajín cotidiano de estos dos jóvenes dramaturgos al contacto de la dramaturgia estadunidense[64]. Guillermo Schmidhuber cita unos detalles clave:

Abundante fue el repertorio de piezas que ambos tuvieron la suerte de ver en la escena americana. Sobresalían en su recuerdo varias producciones: *An American Tragedy,* de Dreiser; en una versión de Piscator; *St Joan,* de Georges Bernard Shaw; *Murder in the Catedral,* de Eliot, y *Espectros,* de Ibsen, con la ac-

---

[61] Rodolfo Usigli, *El gesticulador,* véase *infra,* págs. 210-211.
[62] Es interesante subrayar que *El Presidente y el ideal* se termina antes del «breve epílogo» con las palabras de «El ayudante del jefe» que dice: «Buenas noches, señor presidente...» en 1935 para despertarse en 1972 con «Buenos días señor presidente», treinta y siete años más tarde, un poco como si Usigli cruzara un puente entre el Callismo y Tlatelolco en 1968.
[63] Rodolfo Usigli, «Prólogo a *Un día de éstos...*», *T. C.* III, ed. cit., pág. 748.
[64] Véase Xavier Villaurrutia, *Obras: poesía, teatro, prosas varias, crítica,* México, FCE, 1966.

TEATRO

ESPERANZA
IRIS

EL EMINENTE ACTOR Y
DIRECTOR

ALFREDO
GOMEZ DE LA VEGA

PRESENTA EL ESTRENO MUNDIAL
DE LA OBRA DE

RODOLFO USIGLI

*UN DIA DE
ESTOS*

Portada del programa de mano de *Un día de éstos*.
Acervo del CITRU.

triz Alla Nazimova, quien introdujo el método Stanislavsky a los Estados Unidos[65].

Durante la estancia en Yale, en 1936, Usigli termina *La última puerta, farsa impolítica para ser dividida en dos escenas y un ballet intermedio*[66], cuya escritura había empezado en 1934 en México:

> La terminé en New Haven (*La última puerta*) por disciplina y también por que la relectura del primer cuadro me devolvió a la agridulce atmósfera de las antesalas mostrándome que el problema y la pequeña farsa seguían vivos[67].

Se la dedica a su compañero de entonces, Xavier Villaurrutia:

> Querido Xavier:
> Debo a nuestras conversaciones, que Ud. ha hecho caminar siempre por el hilo de la inteligencia y bajo la espera de la lucidez, mi interés por la farsa, que me parece una modalidad más depurada y poética del teatro[68].

Entre los géneros dramáticos, la farsa es, según la define él, una «forma fundamental», porque en ella «se exageran grandemente los términos y los rasgos de modo de producir una caricatura grotesca de los personajes y de sus reacciones, ideas o doctrinas»[69]. Usigli pone de relieve el carácter subversivo de esta forma teatral para denunciar los prejuicios, las máscaras de la sociedad mexicana. *La última puerta* aparece como una crítica de la harta burocracia mexicana. En la antesala de un ministro, de quien sólo se oye la voz «desde la puerta brillante, con un amplificador», un grupo de personas espera una audiencia que nunca sucede. Estos peticionarios son un perio-

---

[65] Guillermo Schmidhuber, *El advenimiento del teatro mexicano*, San Luis Potosí, ed. Ponciano Arriaga, 1999, pág. 167.
[66] Rodolfo Usigli, *La última puerta*, *T. C.* I, ed. cit., págs. 404-441.
[67] Rodolfo Usigli, «Antesala para *La última puerta*», *T. C.* III, ed. cit., pág. 432.
[68] Rodolfo Usigli, *La última puerta*, *T. C.* I, ed. cit., pág. 404.
[69] Rodolfo Usigli, *Itinerario del autor dramático*, México, La Casa de España, 1940, pág. 34.

dista, unos estudiantes, un joven, una joven, un diputado, un pintor, un escultor, un poeta, un aviador, unas mujeres, un hombre gordo, un hombre silencioso, un desconocido..., es decir, personajes caricaturizados. Los empleados del ministerio están representados por «el secretario particular», «las secretarias», que charlan más que trabajan, y el «mozo». Los personajes son numerosos, pero son más tipos o roles que personajes. Sólo dos tienen un nombre que los saca de lo anónimo, son las secretarias: la señorita Bertha y la señorita Lola, que intenta, sin éxito, seducir al ministro fantasma, hasta su colega Bertha le sugiere que se presente toda desnuda ante él para tomar el dictado:

> LA SEÑORITA BERTHA.—¡Lola, por Dios! Pero pensaba yo que si ensayaras el desnudo...
> LA SEÑORITA LOLA.—*(Iluminada.)* ¡Tienes razón! Sí. Ensayaré el desnudo. Es el último recurso[70].

Son ellas, precisamente, las que humanizan a sus jóvenes colegas el «joven empleado que no trabaja» y el «mozo», llamándoles por su nombre de pila respectivamente, Armando y Farfán. El lugar escénico es, específicamente, la representación de una antesala de cualquier ministerio de gobierno mexicano o hispanoamericano: «(...) Queda a la vista una habitación espaciosa, bien alfombrada, llena de candelabros, arañas y cómodos sofás y poltronas de diversos tipos. En primer término, a la derecha, dos o tres escritorios modernos, una máquina de escribir, y al fondo derecha, una única puerta de color caoba muy brillante. Al fondo centro un amplio librero de madera tallada, con libros, estatuas, etc... flanqueado por cuatro sillones coloniales del mismo tipo. En segundo término, al centro, una suntuosa mesa de tipo ministro (...). Es la antesala de un ministerio (...)»[71].

La primera escena se cierra sobre un «Ballet intermedio de la espera» que ilustra de manera paródica lo absurdo de la realidad representada, durante la cual la gente esperó en vano la

---

[70] Rodolfo Usigli, *La última puerta*, ed. cit., pág. 411.
[71] *Ibíd.*, pág. 405.

deseada audiencia. El ballet se termina, formando los actores-bailarines «un monumento simbólico» con sus cuerpos, cayendo uno sobre otro bostezando:

> ¿Llegará el Ministro o no llegará?
> ¿Ha existido? ¿Existe? ¿O existirá?
> Ministro cometa
> tu ausencia me inquieta[72].

El telón se abre sobre la segunda escena cuando «entre las dos escenas ha transcurrido una entidad de tiempo indefinible» dicen las didascalias[73]. Se nota que el tiempo ha pasado, los muebles se han deteriorado, los personajes han envejecido, «el joven» y «la joven» ya están casados, «sólo los estudiantes han cambiado y son otros. Su impaciente juventud delata una falta total de madurez y un desconocimiento cumplido de este mundo al que han llegado; sin embargo, son siempre los estudiantes (...). El Desconocido tiene un aspecto inquietante. Se diría que lleva en sus hombros la espera de todos, y que, a cada minuto, va a caer abrumado»[74]. Todavía el ministro no ha aparecido y la desesperación de todos está creciendo. El Desconocido ya no puede más e incita a los demás a rebelarse:

EL DESCONOCIDO.—En esta época de nuevos pueblos, de nueva conciencia social, es un hombre, un solo hombre, posiblemente un incapacitado, el que nos hace esperar. Y eso si existe.
VARIOS.—Es verdad... es verdad.
EL DESCONOCIDO.—¿Por qué no entramos todos ahora, para imponerle su deber, para hacerlo existir (...) pues entonces entremos, movamos la maquinaria una vez siquiera, probemos que nosotros sí existimos (...).
Gran ruido creciente entre tanto. Se organiza una formidable columna llena de gritos que se dirige a la puerta resplandeciente (...).

---

[72] *Ibíd.*, pág. 426.
[73] *Ibíd.*, pág. 427.
[74] *Ibíd.*

41

> Tiran todas las puertas menos la última: rompen las estatuas para
> hacerse la mano, reservando para el momento final la puerta res-
> plandeciente, que continúa cerrada (...).
> EL DESCONOCIDO.—*(A la columna amotinada que ha termina-
> do su tarea.)* Y ahora, hombres y mujeres liberados, ia la úl-
> tima puerta![75]

Es el momento en que se oye «La voz del ministro»:
«¿Dónde demonios está mi boquilla de ámbar?»[76].

Los amotinados, consternados, se retiran a sus asientos «hablando en voz baja» y abandonan la antesala, sólo quedan
«los dos viejos entre los escombros de la antesala»[77], mientras
grita el Desconocido: «¡Qué asco! ¡Burócratas!».

El escenario como elemento protagónico de la acción, el
personaje que gesticula más que actúa, la denuncia de la burocracia política, anuncian ya el futuro del teatro de Usigli. El
«Desconocido», como «Alcestes» luego, son «indudablemen-
te, lo señala justamente Schmidhuber, los primeros apuntes
dramáticos en que su autor prefigura al protagonista de *El gesticulador*»[78]. Además esta *Última puerta* anticipa lo que sería
más tarde el teatro del absurdo como lo advierte José Emilio
Pacheco:

> Prefigura el teatro del absurdo mediante una estilización
> nada exagerada de lo que ocurre en estos sitios en donde se
> practica la tortura por la espera y la esperanza[79].

El propio Usigli en 1963, releyendo su farsa escribe un *post-
scriptum oslovita* en el que subraya:

> Al releer *La última puerta*, escrita en 1934-1935, me ha pare-
> cido sentir un olorcillo particular que se respira actualmente
> en muchos teatros del mundo: el del absurdo de los actuales
> neoexpresionistas y seudoneosurrealistas, sillas, balcones, can-

---

[75] *Ibíd.*, págs. 438-439.
[76] *Ibíd.*, pág. 440.
[77] *Ibíd.*, pág. 441.
[78] Guillermo Schmidhuber, *op. cit.*, pág. 172.
[79] José Emilio Pacheco, *op. cit.*, pág. 12.

tantes calvas y, sobre todo, el de los que esperan a Godot en esa antesala. Quizá me equivoco[80].

Con *Alcestes*, que escribe entre el 14 y el 17 de febrero de 1936, después de *La última puerta* y de *El niño y la niebla*[81], todavía en Yale, Usigli se adelanta aún más por el camino de la verdad, de la autenticidad en su búsqueda del ser mexicano. Representa una adaptación de *El misántropo*, de Molière a la mexicana y es una «pieza a tientas» que todavía no ha sido estrenada y que «constituye el último obstáculo entre un teatro puramente mexicano y yo, y la estación fronteriza de *Medio tono*»[82].

De vuelta a México, escribe *Medio tono* en cuatro días, como lo recuerda en «*Medio tono:* Discurso por un teatro realista» el 27 de diciembre de 1937[83]. Es su primer estreno en la capital y es un éxito. El público se reconoce y aplaude. Usigli ha encontrado al personaje que corresponde con el horizonte de expectativas de este público: un público de medio tono, de clase media, anclado en su circunstancia espacial (la colonia Condesa) y temporal (el cardenismo). Muestra Usigli los conflictos familiares de la familia Sierra, en este tiempo y en este espacio, al contacto de las tensiones políticas, económicas, culturales, sociológicas que atraviesan el país y el mundo (la subida de los fascismos, la guerra civil española, etc.)[84]. Lo

[80] Rodolfo Usigli, «Antesala para *La última puerta*», *T. C.* III, ed. cit., pág. 433.

[81] «Escrita en 1936, esta pieza —de las primeras de Usigli— permaneció trece años manuscrita y guardada en un cajón por falta de un título adecuado que no llegó a tiempo a la cabeza del autor. Estuvo a punto de salir de la sombra a raíz del estreno, en 1937, de *Medio tono*», Rodolfo Usigli, «*El niño y la niebla:* noticia», *T. C.* III, ed. cit., pág. 434.

[82] Rodolfo Usigli, «Tres Comedias y una pieza a tientas», *T. C.* III, ed. cit., pág. 294.

[83] Rodolfo Usigli, *T. C.* III, ed. cit., pág. 439.

[84] El 26 de octubre de 1959, desde Beirut donde es embajador, Rodolfo Usigli escribe a Alfonso Reyes y le comenta: «*Medio tono*, deformada y tratada con el pie por casi todos sus intérpretes (1937), me valió además una felpa casi unánime de la crítica. Sólo me elogiaron el cronista de *El Machete*, que pensó que la comedia era de tendencias comunistas por serlo uno de sus personajes, y Howard S. Phillips, que sabía lo bastante de teatro para ver en ella la

que propone Usigli al espectador es invitarle a sentarse, apagar la luz y volver a encenderla sobre su propia imagen reflejada en otro que sería su «analogon», un teatro «por el ojo de la cerradura»:

> Hay que hacer algo por este mexicano que espía incómodamente su propia vida en los demás por el ojo de una cerradura. Hay que acercarle un sillón confortable, invitarle a sentarse, apagar la luz en torno a él y volver a encenderla sobre su imagen reflejada en otro[85].

El espectador quiere verse y mirarse, el triunfo está logrado:

> Es, pues, el teatro visto cotidianamente a través del ojo de una cerradura el que México necesita y no ha tenido nunca. No se trata de recomendar la fórmula estilística del naturalismo sino de un teatro realista que corresponda a la realidad de México, que permita al mexicano verse al espejo dejándole, hasta donde sea posible, la ilusión de que ve a su vecino. Hacer pasar las cosas al otro lado adentro del espejo[86].

Mientras empieza la escritura de *El gesticulador* entre los años 1937-1938, Usigli quiere introducir en la producción teatral de México el melodrama, «forma o fórmula, dice él, completamente inexplorada entre nosotros hasta entonces fuera de la efímera presentación comercial de ejemplares norteamericanos o ingleses»[87]. Y aborda el género con *Mientras amemos* (1937), *Aguas estancadas* (1938) y *Otra primavera* (1937-1938), para tratar de atraer al público a las salas y «prepararlo para aceptar cosas más nobles o pretenciosas en el futuro»[88].

---

primera buena comedia mexicana de apariencia realista. Técnicamente, es la mejor equilibrada de las mías, pero aquello y esto han sido deliberadamente olvidadas siempre. Llegó al cine al fin, cambiada toda desde la nariz del título, en 1956 o 1957 con Dolores (del Río), a quien se aplaudió justamente. Olvidaba ya la prohibición por la liga de la decencia» (Carta inédita, cortesía de Alicia Reyes y de la Capilla Alfonsina).

[85] Rodolfo Usigli, *Anatomía del teatro,* México, Ecuador 0° 0' 0", 1967, pág. 22.
[86] *Ibíd.*, pág. 23.
[87] Rodolfo Usigli, *«Mientras amemos* y *Aguas estancadas:* breve noticia», *T. C.* III, ed. cit., pág. 448.
[88] *Ibíd.*

44

TEATRO DEL
"Caracol"

Palau y Rep. de Cuba - Gerente: Antonio Arce
Tel. 21-71-55

Martes 10 de Julio de 1951

A las 7.15 y 10 p. m.

PROA
CIA. MEXICANA DE COMEDIA

JOSE DE J. ACEVES
DIRECTOR,

Presenta a:

ISABELA CORONA

200 REPRESENTACIONES

de la pieza en 3 actos, original del notable escritor
mexicano RODOLFO USIGLI y que lleva
por título:

"EL NIÑO Y
LA NIEBLA"

Con el siguiente Reparto:

MARTA	ISABELA CORONA
Guillermo Estrada (su esposo)	Francisco Muller
Daniel (hijo de ambos)	Carlos Vázquez
Mauricio Dávila	Rolando San Martín
Jacinta	Magda Monzón
Felipe	Hernán de Sandozequi
El Profesor Benítez	Alejandro Encinas
El Doctor	Armando Katani
Señora 1a.	Hilda Anderson
Señora 2a.	Aurora Parkman

La acción se desarrolla en Durango 1 mes de Mayo de 1926

DIRECCION: JOSE DE J. ACEVES.
DECORADO: JULIO PRIETO.

Traspunte: José Mora Jr. — Asistente del Director:
Alejandro Encinas.

I.—Al final de la función de noche, el Secretario de la
Unión Nacional de Autores Sr. Don Alfredo Robledo,
impondrá una Medalla de Oro al Sr. Rodolfo Usigli
en nombre de la U. N. A.
II.—Palabras por el Lic. Adolfo Fernández Bustamante.

PRECIOS:
TODA LUNETA . . . . $ 10.00

El TEATRO DEL CARACOL y PROA Cía. Mexicana
de Comedia, agradece a la Prensa, Críticos y Público en
general el haber hecho posible este suceso, no registrado
antes en obra mexicana, y ofrece continuar con entusiasmo su labor en pro del Teatro Mexicano,
Muchas Gracias a Todos.

Cartel del estreno de *El niño y la niebla*. Acervo del CITRU.

Parte inseparable de su experiencia teatral, según su propia opinión, estas obras le permiten enfatizar la noción de espejo en su búsqueda de la realidad mexicana entre 1920-1940 así como la construcción de un personaje de clase media que se debate y gesticula en su aprehensión de la vida cotidiana. Este personaje será el personaje privilegiado del teatro de Rodolfo Usigli desde *La última puerta* (1934-1936), *Alcestes* (1936), *Medio tono* (1937), hasta *El niño y la niebla* (1936-1949), *Aguas estancadas* (1938-1952), *La mujer no hace milagros* (1938), *Mientras amemos* (1937), *Otra primavera* (1938), *Jano es una muchacha* (1952), *Las madres* (1949-1960). ¿Por qué? Primero, porque es, en la realidad, un personaje dramático, por excelencia, que vive en perpetuo conflicto de intereses, siempre desplazado y marginado por las demás clases sociales, en busca de modelos; luego, porque nace de los trastornos provocados por la Revolución tanto en el nivel social y cultural como en el nivel económico y político[89]. Atraída hacia lo alto por la política de desarrollo económico entre 1920 y 1940, la clase media integra la nueva burguesía mexicana. Pero empujada por las clases populares, en ese proceso de crecimiento alrededor de las grandes administraciones y de los sectores bancario y financiero, la constitución de la élite económica —con la integración en los puestos directivos clave de numerosos extranjeros y de «criollos nuevos»— y las repercusiones de la crisis mundial de 1929, van a bloquear el sistema y a detener su ascensión social: de ahí su amargura y descontento. Por último, me parece que es el personaje privilegiado del teatro de Usigli, como lo es de Ibsen, de Shaw o de Pirandello, porque vive en la apariencia, en la mentira, en el melodrama: «ritualista y ficticia en sus actos cotidianos, tiene el deber de la apariencia»[90].

---

[89] Arturo González Cosío explicita que la clase media pasó del 8,3 por 100 de la población urbana en 1900 al 15,5 por 100 de la misma población en 1950. Una tasa de crecimiento considerable en un centro privilegiado el D. F. «Ciudad de México», en las colonias Roma y Narvarte para las rentas más bajas; la del Valle para las medianas, y las de Condesa, Churubusco, Campestre, Anzures y Polanco para las más altas (en *México: cuatro ensayos de sociología política*, México, UNAM, 1972, págs. 78-80).

[90] Rodolfo Usigli, «Una comedia shaviana: *Noche de estío*. Prólogo», *T. C.* III, ed. cit., págs. 332-333.

Reflexionando en 1975 sobre la obra *Mitos y fantasías de la clase media en México,* un sociólogo mexicano contemporáneo, Gabriel Careaga, parece responder como en eco a la visión usigliana de 1933-1938, y escribe:

> Son los hombres y las mujeres de la clase media que suben y bajan, luchando desesperadamente por tener mayor moralidad social, que aspiran a más cosas, que se irritan, que se enojan, dentro de una *tradición melodramática* porque cuando se carece de conciencia trágica, ha dicho alguna vez Carlos Fuentes, de razón histórica o de afirmación personal, *el melodrama la suple, es su sustituto,* una imitación, una ilusión de ser...[91].

Se parece un comentario al teatro de Usigli. Ilusión, melodrama, máscara son indicios simbólicos de una realidad psicosociológica e ideológica que afecta a la clase media y a los personajes que la representan en el escenario del teatro de Rodolfo Usigli, mucho antes que en las obras de Fuentes. Encontramos a Julio Sierra y a sus padres, a su hermana Gabriela en *Medio tono;* a Miguel, a su hermana Julia y su madre Elena en *El gesticulador;* a Marina-Mariana y su padre Víctor en *Jano es una muchacha*[92]; a Marta y su hermano Raúl en *Otra primavera;* a Victoria en *La mujer no hace milagros;* y a todos los empleados, asalariados, mecanógrafas, estudiantes, porteros, etc., que se agitan en el escenario usigliano con sus simulaciones y máscaras, imposibilitados en el ejercicio de su libertad individual. Sin embargo, Usigli entre 1930 y 1950 tiene esperanza, esperanza en la juventud, esperanza en Julio, en Miguel o Gabriela, enfatizando una reivindicación del acto de palabra, un deseo de romper con las coerciones morales y culturales vinculadas al orden familiar, una rebelión que rebasa el conflicto generacional, y es Julio quien, en *Medio tono,* será el portavoz:

---

[91] Gabriel Careaga, *Mitos y fantasías de la clase media,* México, J. Mortiz, 1975, pág. 65. Las cursivas son mías.

[92] Marina-Mariana ¿no sería otra transformación, otro desdoblamiento, «Jano», de Marina (Malintzin) Malinche, como lo sería César Rubio de Cuauhtémoc?

JULIO.—Siempre, padre y no sólo a ti, a todos mis hermanos, a
todas las gentes de nuestra clase. No hemos podido expresar-
nos, decir lo que queríamos. Todas las cosas se nos quedan
en no sé qué —en un medio tono que nos va bañando como
un metal, que nos va inmovilizando— y yo no quiero que
me pase eso también a mí. No quiero repetir, ¿entiendes?, lo
que se ha repetido hasta ti, hasta tu generación[93].

Pero es, sin duda, con los personajes femeninos con los que
la transformación social esperada por la clase media se vuelve
más notable. En efecto, en el transcurso de unos veinte años,
todo un mundo se quiebra por influencia de los trastornos revolucionarios y por las nuevas maneras de pensar, sentir y ver
las cosas: una nueva concepción de la mujer mexicana se im-
pone con más o menos éxito: Antonieta Rivas Mercado, Fri-
da Khalo, Tina Modotti... son los modelos más ejemplares.
Usigli lo atestigua y lo muestra: Gabriela, en *Medio tono,* tiene
veinticinco años, es empleada de un despacho, por incita-
ción más que por convicción, participa en un mitín político,
organizado por el Partido Comunista Mexicano a propósito
de la Guerra Civil en España, provocando una desesperación
grande en sus padres que quisieran verla casada o por lo menos fuera de las cosas de hombres. Marta, en *Otra primavera,*
al tratar de la ruina de sus padres, no puede reprimir un grito
de alivio:

MARTA.—A mí la noticia no me parece inesperada, ni mala.
Se estaba volviendo mal gusto tener hacienda (...). Así podré trabajar. Es la oportunidad que espero desde los quince años[94].

Su madre, Amelia, al contrario, como la señora Sierra (madre de Gabriela) o Elena (madre de Miguel y Julia en *El gesticulador),* muy preocupada por su papel de madre y esposa,
«mujer abnegada», prefiere pensar que toda esa gesticulación
no perdurará:

[93] Rodolfo Usigli, *Medio tono, T. C.* III, ed. cit., pág. 533.
[94] Rodolfo Usigli, *Otra primavera, T. C.* III, ed. cit., pág. 679.

48

AMELIA.—(...) Dentro de poco las mujeres modernas desertarán las oficinas y las fábricas para trabajar en el alma de sus maridos y en el alma de sus hijos, que bien lo necesitarán[95].

Victoria, en *La mujer no hace milagros* (1938), representa otro modelo de comportamiento. Hija mayor de la familia, se rebela violentamente contra su papel de ama de casa, de mujer sacrificada al gusto del marido, y se acuerda de su sueño de juventud: ser pianista. Pero está casada con Alejandro y, a pesar de su encuentro con Roberto, Victoria no puede examinar un porvenir que sea diferente del que siempre ha conocido, el de mujer abnegada:

VICTORIA.—(...) Su ideal consiste en encontrarme siempre en la cocina. Yo quería ser pianista... tocaba bastante bien inclusive. Cuando me casé empecé a cambiar de profesor cada semana. Ninguno le gustaba a Alejandro. Entonces decidí seguir sola... pero no me queda tiempo para atender la casa. A Alejandro no le gusta tener criados... se educó en los Estados Unidos. Supongo que un día me cansaré de resistir a sus deseos de tenerme en la cocina... dejaré de odiar a la cocina[96].

De esta forma, los personajes femeninos jóvenes en el teatro de Usigli afirman una voluntad de liberarse de la tutela de los padres o del marido, una voluntad de voltearse hacia lo exterior, de desempeñar un papel activo con responsabilidades en la sociedad.

El discurso teatral de Rodolfo Usigli habla así del discurso de la burguesía mexicana, y dentro de la burguesía, del discurso de la clase media en plena crisis social y cultural en el México de los años 1930-1960, a imagen de su homóloga en Europa y en el mundo en la misma época. Usigli da la palabra a una clase social que «fue vasconcelista por convicción y por inacción, vive perpetuamente fuera de ritmo: el pueblo la empuja, los ricos la sofocan, y entre ambos la destruyen»[97]. Enton-

---

[95] *Ibíd.*, pág. 683.
[96] Rodolfo Usigli, *La mujer no hace milagros, T. C.* III, ed. cit., pág. 848.
[97] Rodolfo Usigli, «Una comedia shaviana...», *T. C.* III, ed. cit., pág. 332.

ces, sus obras van a recordar con ayuda de la imaginación para «incendiar de verdad al público comunicante»[98]. Y lo hace porque el artista es producto de su tiempo, debe apoyarse sobre la realidad que lo rodea:

> Como el teatro es la conciencia y el reloj de las razas puede decirse entonces que una obra dramática es buena y está viva cuando contiene tiempo, y cuando lo refleja, o para seguir la frase usual de los niños, cuando hace Tic-Tac. En todo caso, las obras que hacen Tic-Tac, necesitan ser ante todo, de su tiempo, devorarlo y aparecer periódicamente para eslabonar un tiempo con otro, para poner en evidencia luminosa aquellos elementos de la condición humana que trascienden del hombre y no del tiempo (...). El arte no puede existir sin el tiempo, ni el tiempo jalonarse sin la obra de arte, única huella viva del paso del hombre por el tiempo[99].

Por una parte, Usigli denuncia esta nueva sociedad «revolucionaria» que reproduce los mismos esquemas de representación que la antigua sociedad del Porfiriato, *Los fugitivos* (1950) es el mejor ejemplo[100] al lado de *La familia cena en casa* (1942): la imitación a Europa es el principal fundamento.

Por otra parte, si denuncia ciertas representaciones de esta nueva sociedad «revolucionaria», principalmente sus representaciones culturales y sus representaciones populistas en política, las denuncia siempre en el marco de la ideología dominante sobre la cual se apoya y nunca en nombre de una ideología de oposición revolucionaria que condena. Su búsqueda de la verdad y de la identidad mexicana, que estructu-

---

[98] Rodolfo Usigli, «El gran teatro del nuevo mundo», *T. C.* III, ed. cit., pág. 666, y decía antes: «Otro lugar común en el que me agrada incidir es que el teatro es el arte (si lo es) que consiste en recordar con ayuda de la imaginación» (pág. 661), anunciando así su futura teoría de la «antihistoria».

[99] Rodolfo Usigli, «Ensayo sobre la actualidad de la poesía dramática», *T. C.* III, ed. cit., pág. 496.

[100] «No puedo menos que comparar el año técnico que vivimos (1950-alusión al "alemanismo") con el científico de 1908 que presento en *Los fugitivos*», Rodolfo Usigli, «El gran teatro del nuevo mundo», *T. C.* III, pág. 661. Estrenada el 22 de julio de 1950 en el Teatro Arbeu.

ra toda la temática de su obra, está en el centro de las preocupaciones ideológicas de la burguesía nacional que afirma progresivamente sus posiciones alrededor, en particular, de las teorías de Antonio Caso y de Samuel Ramos[101]. Así, la clase dominante elabora un sistema global y coherente de valores que se concretiza alrededor de lo que se ha llamado «la ideología de la Revolución mexicana»[102].

Entre 1937 y 1940, Usigli participa de todas las experiencias teatrales, mientras no consigue el éxito esperado su tentativa con el melodrama[103]. Director de la sección teatro del departamento de Bellas Artes entre 1938 y 1940, traduce a Musset[104], a Elmer Rice, a Bernard Shaw, a Bernstein..., y funda, después de su experiencia ya citada con el «Teatro de Orientación», su propio teatro experimental, «Teatro de Medianoche», que sólo se mantuvo una temporada, pero que formó a varios actores y directores, como Ignacio Retes, Carlos Riquelme, Juan José Arreola, José Elías Moreno, Victor Moreno, Eduardo Noriega, Emma Fink, Víctor y Tito Junco, Federico Ochoa... La finalidad era presentar un repertorio de calidad a un público cuya formación ha de ser alentada. Las representaciones ocurrieron dos veces a la semana, en el cine Rex, después de la película, de marzo a abril de 1940, gracias al apoyo de Pablo Prida, uno de los propietarios del cine. De las veinticuatro obras previstas, sólo once se estrenaron: cinco extranjeras y seis mexicanas, entre ellas *Vacaciones I*, del propio Usigli, que se pre-

---

[101] Véase Dessau Adalbert, *La novela de la Revolución mexicana*, México, FCE, 1972 (véase el capítulo «La base ideológica», págs. 64-69).

[102] Véase Gilberto Argüello, *En torno al poder y a la ideología dominantes en México*, Puebla, UAP, 1976. Y Córdova Arnaldo, *La formación del poder político en México*, México, Era, 1972.

[103] De los melodramas escritos en aquella época, sólo *El niño y la niebla* será un verdadero éxito. Duró ocho meses, 450 representaciones en el Teatro Caracol, en México D. F., en 1951. Fue filmado en 1953 con actuación de Dolores del Río.

[104] Octavio Paz recuerda que, cuando era estudiante, asistió a la representación de *El candelabro*, de Musset, pieza dirigida y actuada por Usigli: «Si no me equivoco la tracucción era suya... Fue notable su interés en el teatro moderno universal», en Octavio Paz, «Rodolfo Usigli en el teatro de la memoria», *La Jornada Semanal*, núm. 28, México, 15/9/91, págs. 14-19.

sentó dos veces por el éxito público que tuvo[105]. La prensa, casi en su totalidad, pasó la experiencia con silencio o la criticó duramente. ¿Hora tardía? ¿Elección del repertorio? Varios años después, en 1961, Rodolfo Usigli recordará «con algo de amargura y mucho de ironía» la crítica llevada a cabo por la revista *Letras de México*, el 15 de junio de 1940, en una encuesta que dio el golpe de gracia a la experiencia:

> Quisiera hacer un poco de historia (¿Qué amargura puede durar veinte años?) si bien lamento no tener a mano la escandalosa encuesta de *Letras de México*, en la que fui condenado a muerte, junto con mi experimento y casi por unanimidad, por mis amigos y colegas más destacados. Los muertos que ellos mataron gozan de buena... en fin, de mediana salud[106].

Sin embargo, ya tiene escrito *El gesticulador*, si bien no se ha estrenado ni publicado todavía. La fecha la discute la crítica[107], seguramente entre 1937 y 1938. Veinticuatro años más tarde en «Gaceta de clausura sobre *El gesticulador*», en 1961, Usigli testimonia:

> El sustantivo adjetivado que constituye el título rodó en mi cabeza y sufrió varias tentativas infructuosas: cuento, relato, ensayo (...) que se quedarían todas a medias. Una mañana al afeitarme (1937 o 1938) surgió por alguna rendija de mi pensamiento el problema del hombre a quien hace el uniforme (en la ocasión un sombrero tejano) el hombre a quien el Stetson con el águila y la serpiente de oro hace general de división, o sea ese tipo tan representativo de una larga etapa de la historia de México[108].

---

[105] Véase Daniel Meyran, *El discurso teatral de Rodolfo Usigli*, México, CITRU/IFAL, 1993, págs. 185-186.

[106] Rodolfo Usigli, «A propósito de *Vacaciones I y II* y otros propósitos y despropósitos», *T. C.* III, ed. cit., pág. 598. Véase también Luis Mario Schneider, «El teatro de medianoche: un experimento de Rodolfo Usigli», en Daniel Meyran *et alii*, *Teatro y poder*, Perpignan, PUP, 2002, págs. 535-540.

[107] Entre ella Knapp Jones, Ruth S. Lamb, Antonio Magaña Esquinel escogen 1937. Curiosamente, John B. Nomland escoge la fecha de la edición de Letras de México, 1944. Pero Usigli en la edición de su *Teatro completo* confirma la fecha de 1938.

[108] Rodolfo Usigli, «Gaceta de clausura de *El gesticulador*», *T. C.* III, ed. cit., pág. 536.

Lo que corrobora once años después, en 1972, en «Breve noticia sobre *El gesticulador*»:

El título de la pieza —que no deja de inspirar curiosidad ni de despertar polémicas— flotó en mi cabeza desde mi extrema juventud sin encontrar un cauce formal en largo tiempo. Al fin en 1937, se conectó con una preocupación que me absorbía: el problema psicológico del mexicano y la pieza salió como por arte de magia, del sombrero «tejano» que el profesor César Rubio piensa que lo convertirá en general de división. O sea que, por uno de esos fenómenos peculiares de la creación artística, uno de los elementos menores determinó su nacimiento. La idea del travestido gesticulante ha sido imitado ya[109].

Y al mismo tiempo que escribe su pieza mayor, escribe en paralelo, como para mirarla e ilustrarla, su «Epílogo» sobre la hipocresía del mexicano «entre el primero y el cinco de octubre de 1938», ensayo que, por su enfoque del tema de la mexicanidad, procede de Samuel Ramos (1934) y anuncia a Octavio Paz (1954)[110]:

Algunos autores escriben prólogos después de haber escrito sus obras. No veo, pues, una objeción sustancial a escribir un epílogo para *El gesticulador* antes de haber hecho más que trazar el primer acto[111].

La obra tendrá que esperar cinco años para que se publique, a petición de Octavio Barreda, en su revista *El Hijo Pródigo*[112], en tres entregas, entre mayo y julio de 1943, un año más para que la edición Letras de México se interese por ella[113], y

---

[109] Rodolfo Usigli, «Breve noticia sobre *El gesticulador*, *T. C.* III, ed. cit., pág. 567.

[110] Samuel Ramos, *El perfil del hombre y la cultura en México*, México, SEP, 1980; Octavio Paz, *El laberinto de la soledad*, México, FLE, 1954.

[111] Rodolfo Usigli, «Epílogo sobre la hipocresía del mexicano», *T. C.* III, ed. cit., pág. 452.

[112] «Al iniciar la importante revista *El Hijo Pródigo* (1943) Octavio Barreda me pidió la pieza para publicarla en tres inserciones, en los tres primeros números» (Usigli, *T. C.* III, ed. cit., pág. 540).

[113] Rodolfo Usigli, *El gesticulador*, México, Letras de México, 1944.

nueve años para su estreno en el escenario de Bellas Artes primero, del Teatro Fábregas luego, en 1947, gracias al sostén y a la tenacidad de Alfredo Gómez de la Vega[114].

En aquel entonces, Usigli era funcionario, había entrado en la carrera diplomática como segundo secretario de la legación de México en París (mientras Octavio Paz era el tercero) de 1944 a 1947[115].

En una carta a Alfonso Reyes, todavía inédita, fechada quince años después, el 15 de noviembre de 1959, desde Beirut, le confiesa:

> Así cargado de bagaje y ánimo, sobrevino mi divorcio y me fui a París en 1944, a raíz de la liberación. En realidad, yo había podido ir a Moscú, había sido nombrado segundo secretario de la legación y recibido pasaporte y pasajes cuando el presidente Ávila Camacho en persona, telefoneó a don Manuel Tello. Y luego a mí, para pedir que fuera yo, de pronto a París. Pensé rehusar, pero quería alejarme de México por un tiempo y ver cómo andaba el mundo. Sólo un año después logré averiguar que nuestro Vicente Lombardo Toledano había dicho al embajador Oumansky que yo era trotskista. Yo cuyo credo está en la fórmula ibseniana de no ser hombre de partido y de llevar en mí la derecha y la izquierda[116].

---

[114] El actor y director Alfredo Gómez de la Vega acababa de ser nombrado director del Departamento de Teatro por Carlos Chávez primer director del Instituto de Bellas Artes (1947-1952): «Designado el nuevo gabinete, una noche, en algún lugar público, me encontré con Alfredo Gómez de la Vega. Separándose de su grupo se acercó a mí, me abrazó, y me dijo que el flamante Instituto Nacional de Bellas Artes le había ofrecido la jefatura del Departamento de Teatro y que él había aceptado poniendo como condiciones inseparables el estreno de *El gesticulador* y la formación de la Compañía Titular de Comedia de Bellas Artes» (Usigli, *T. C.* III, ed. cit., pág. 541).

[115] A propósito de la carrera diplomática de Rodolfo Usigli, la secretaría de relaciones exteriores informa en su página de Internet (www.sec.gob.mx/acerca/diplomaticos/usigli.htm): «Dentro del servicio exterior fungió como segundo secretario de la Legación en Francia (1944-1947), enviado extraordinario y ministro plenipotenciario de México en Líbano (1956-1959) embajador de México en Líbano (1959-1962), paralelamente ministro y embajador de México en Etiopía pero con sede en Beirut y embajador de México en Noruega (1962-1971). Destaca dentro de su labor diplomática la propuesta de fundación del Instituto de Relaciones Culturales Franco-Mexicanas».

[116] Carta inédita a Alfonso Reyes.

Aprovecha su estancia en París para viajar a Londres y entrevistarse con el dramaturgo Georges Bernard Shaw a quien enseña su «pieza antihistórica» *Corona de sombra*, escrita en 1943, sobre la grandeza y el drama del episodio histórico de Maximiliano y Carlota, con ella Usigli emprende su reflexión sobre el pasado histórico de México. De este encuentro, Usigli publicará «dos conversaciones», particularmente interesantes para comprender su itinerario dramático[117].

De regreso a México en 1946, al inicio del nuevo gobierno presidido por Miguel Alemán (1946-1950) encuentra a su amigo Alfredo Gómez de la Vega que le anuncia su firme intención de estrenar *El gesticulador* en el Palacio de Bellas Artes[118]. A pesar de las presiones ejercidas por el director Carlos Chávez, desde los primeros ensayos de la pieza, temiendo recaídas políticas y por Xavier Villaurrutia y Agustín Lazo, miembros del comité de lectura, denunciando esta «pieza de carranclanes»[119], Gómez de la Vega se abstiene, renuncia a su cargo a condición de que se ponga la pieza. La estrena el 17 de mayo de 1947. Es un éxito, incluso un triunfo, la sala del Palacio de Bellas Artes está llena: 1.995 espectadores asisten al estreno. Desde Beirut, en 1961, Usigli recuerda el evento:

> Se había realizado un milagro y según la profecía de Gómez de la Vega, había nacido el teatro mexicano de nuestro tiempo. Poco me importa que se haya tratado de una obra mía, lo juro por las cenizas de mi madre. Lo importante era eso: el espectáculo inusitado y jubiloso de un público en ac-

---

[117] Rodolfo Usigli, «Dos conversaciones con Georges Bernard Shaw», en *Conversaciones y encuentros,* México, Ed. Novaro, 1973, págs. 11-65. La primera conversación sale por primera vez en la revista *Cuadernos Americanos* en noviembre-diciembre de 1946, págs. 246-279. La segunda en la misma revista en enero-febrero de 1947, págs. 227-250.

[118] El Departamento de Bellas Artes, alojado en el Palacio de Bellas Artes, monumento de la época porfirista, se transformó en Instituto de Bellas Artes en diciembre de 1946 y comenzó su actividad en enero de 1947. Los directores sucesivos del Instituto fueron: Carlos Chávez (1947-1952); Andrés Iduarte (1952-1954); Miguel Álvarez Acosta (1954-1958); Celestino Gorostiza (1958-1964).

[119] «Carranclanes» significa peyorativamente «Carrancistas» o partidarios del general y presidente Venustiano Carranza (1860-1920).

mayo 17 de 1947

Cartel del estreno de *El gesticulador*. Acervo del CITRU.

ción de aplauso y de emoción, espectáculo muy superior al ya magnífico que habían presentado los actores[120].

Treinta y cuatro años más tarde, el poeta José Emilio Pacheco lo confirma y le rinde homenaje:

> Volvió a México. Asistió al estreno en Bellas Artes de *El gesticulador* (1947), actuado y dirigido por Alfredo Gómez de la Vega, en esa función, se insiste, comenzó el nuevo teatro mexicano. Usigli logró un éxito que pocos de nuestros autores han igualado[121].

A partir del día siguiente del estreno, empezaron a publicarse críticas en la prensa. He podido localizar, gracias al acervo del CITRU (Centro de Investigación Teatral Rodolfo Usigli) y gracias a la ayuda de Guillermina Fuentes[122], dieciocho notas periodísticas entre el 18 de mayo y el 10 de junio de 1947 junto con un comentario del autor el 31 de mayo en *El Universal*. Es decir, *El gesticulador* tuvo gran impacto y provocó varias reacciones, a pesar de haberse quedado en la cartelera sólo catorce días con diecisiete funciones durante la temporada. De la lectura de estas notas críticas, resalta que catorce fueron comentarios positivos, dos francamente negativos y dos sólo informativos sobre el acontecer teatral. Entre los positivos destacan el de Carlos González Peña y el de Armando de María y Campos[123].

---

[120] Rodolfo Usigli, *T. C.* III, ed. cit., pág. 547.

[121] José Emilio Pacheco, «Rodolfo Usigli: La indignación y el amor», *Los universitarios*, México, UNAM, 1981, pág. 13.

[122] Investigadora del CITRU. Véase Fuentes Guillermina, «César Rubio y Usigli en la hoguera de la crítica», *Rodolfo Usigli: ciudadano del teatro: memorias de los homenajes a Usigli 1990, 1991*, México, CITRU, 1992, págs. 98-115.

[123] Carlos González Peña, «*El gesticulador*», *El Nacional*, México, 20 de mayo de 1947: «Cuenta el estreno de *El gesticulador* entre las grandes fechas del teatro mexicano (...) Cabe considerar a Usigli como a uno de los más altos valores de que el arte dramático nuestro pueda enorgullecerse (...) es una obra que no está por debajo de las mejores que hoy se exhiban en cualquier teatro del mundo (...) ahonda en la vida misma, en la vida palpitante de México, arranca de las entrañas lo nacional y chorrea mexicanidad por todos los poros. Si queremos tener teatro nuestro, teatro genuino ese teatro debe ser así (...)».

Entre los negativos, el primero que salió fue el de Justo Rocha en *La Prensa* el 19 de mayo y niega todo lo que demuestra *El gesticulador;* el segundo es firmado por Ceferino R. Avecilla en *El Excelsior,* el 28 de mayo, y desvaloriza toda la obra[124].

Frente a tal situación, Usigli comprueba que «Las críticas de orden teatral favorables y aun elogiosas en la mayor parte de los casos hasta la hipérbole, se han visto ahogadas por las críticas de orden político»[125].

De veras, bajo intervención directa del presidente de la república Miguel Alemán, junto con el director del Instituto Nacional de Bellas Artes, Carlos Chávez, y ante la efervescencia que había ocasionado, la obra es retirada del repertorio al cabo de dos semanas a pesar de su éxito considerable. Usigli contesta públicamente, el día siguiente, 31 de mayo, en *El Universal,* «El caso de *El gesticulador*»:

> *El gesticulador* termina hoy su acto en Bellas Artes teatro oficial, dejando además el recuerdo de la más civilizada y limpia actitud por parte del actual gobierno. Para esto también habrá servido (...) mi obra fue escrita y puesta en escena, como lo verá toda persona honrada con otra intención. Así pues, Alfredo Gómez de la Vega y yo consideramos que el primer

---

Armando María y Campos, «El teatro», *Novedades,* 28 de mayo de 1947: «Mi fe en Usigli como redentor del teatro mexicano no es de ayer (...) es de siempre, mejor dicho, desde que conocí, su primera producción (...) *El gesticulador* es una obra histórica de la Revolución mexicana y todos sus personajes son reales (...) Es una obra dramática pensada (...)».

[124] Justo Rocha, «Máscaras y Perfiles», *La Prensa,* 19 de mayo de 1947, pág. 6: «Extraño y desconcertante ese absurdo y estrambótico señor Usigli, autor de *El gesticulador* (...) Pero afortunadamente se trata de una broma "pasado de moda" o "démodée" para corresponder al estilo, en cierto modo, "afrancesado" del señor Usigli, que convierte su obra en sátira, en farsa y a ratos en "mitín" político (...) ¡Una broma porque, al salir a la calle, uno ve que México existe, que está allí más que nunca y mejor que nunca! (...)».

Ceferino R. Avecilla, «El teatro: *El gesticulador* (...)», *Excelsior,* 28 de mayo de 1947, pág. 4: «*El gesticulador* (...) rodeada de inepcias teatrales sin más propósito que atacar a la Revolución mexicana. Apasionamientos como los que se comprenden en *El gesticulador* no pueden ser nunca tema estimable de una obra literaria (...)».

[125] Rodolfo Usigli, *T. C.* III, ed. cit., pág. 552.

acto de *El gesticulador* ha llegado a su fin natural. Cuando México y sus gentes hayan madurado un poco más, *El gesticulador* podrá volver a las tablas. Hasta entonces me abstendré también de insistir sobre un tema que empieza a hacerse monótono. Es el público quien tiene la palabra[126].

Pasamos sobre los acontecimientos anecdóticos que acompañan el escándalo de *El gesticulador* —aunque afectaron profundamente a Rodolfo Usigli[127], y motivan una reflexión sobre las posiciones que se mostraban en el INBA en aquel entonces, para contemplar sólo los cinco cargos que él considera ser la versión oficial y política de la crítica en lo que se podría llamar, a imagen de la batalla de *Hernani,* la batalla de *El gesticulador:*

1. Es una obra antirrevolucionaria y reaccionaria.
2. Ha sido escrita por un intelectual funcionario del régimen político actual.
3. Se sirve de ideas propagadas por los enemigos de la Revolución y puede transformarse, por lo tanto, en armas de la reacción.
4. Sólo transmite valores negativos.
5. Es una obra indigna del teatro y del arte dramático y sólo pertenece a la carpa[128].

Usigli rechaza los cargos y se muestra como ciudadano frente al Estado, comprometido con él:

> (...) porque nunca he creído que ser funcionario del gobierno sea abdicar la dignidad de una opinión activa y libre[129].

---

[126] Rodolfo Usigli, *T. C.* III, ed. cit., págs. 535-536.

[127] Unos días después del estreno, Usigli fue agredido por Salvador Novo en los pasillos del Palacio de Bellas Artes. Usigli jamás pronunció el nombre de su agresor, sino por apodos, como «el judas de cartón» o el «marión del INBA». Alfonso Taracena alude a este episodio en *La vida en México bajo Miguel Alemán,* México, edit. jus, 1979, págs. 119-120.

[128] Véase Daniel Meyran, *El discurso teatral de Rodolfo Usigli: del signo al discurso,* México, CITRU/IFAL, 1993, págs. 131-141, y «Les Pannes sémiotiques: exemples de sémiosis interrompue dans le théâtre mexicain contemporain», *Revue Européenne d'Études Sémiotiques,* núms. 1-4, Viena, 1989, págs. 723-744.

[129] Rodolfo Usigli, *T. C.* III, ed. cit., pág. 533.

El 3 de octubre del mismo año, Gómez de la Vega vuelve a estrenar *El gesticulador,* alternando con otra pieza, *Topacio,* de Marcel Pagnol, en el Teatro Fábregas. De nuevo los obstáculos son numerosos. El día del ensayo general, varios grupos de obreros quieren que se suspenda el estreno: porque creían que *El gesticulador* aludía al líder sindicalista Vicente Lombardo Toledano. Usigli encuentra la solución, invitando a asistir a un ensayo, al funcionario de la oficina de espectáculos: no hubo prohibición, pero no hubo público, cada vez que uno quería comprar su boleto se le contestaba en la taquilla que estaba completo, que no había[130].

Sin embargo, la obra había marcado su camino y entraba en la universalidad. Fue traducida al francés, al inglés, al polaco, al ruso, al alemán, al italiano, al checo, al noruego. Fue representada en Moylan Rose Valley, Pennsylvania, por el teatro Hedgerow en 1953 bajo el título de *The Great Gesture.* Ha sido adaptada para la televisión en Nueva York: *Another Caesar.* Se realizaron lecturas en París, en la UNESCO, en Madrid donde se representó en 1958 dirigida por Carlos Miguel Suárez Radillo, así como representada en Colombia, Argentina, Rumania, Checoslovaquia y Austria. En México formó parte del circuito de los teatros oficiales como pieza del repertorio en 1956, 1958, 1961, 1964, 1968, 1979, 1983, por la Compañía Nacional de Teatro. Fue objeto incluso de una puesta en escena cinematográfica en 1957, con el título de *El impostor,* bajo la dirección de Emilio «Indio» Fernández, con actuación de Pedro Armendáriz y Gabriel Figueroa como camarógrafo, lo que hizo decir a su autor en 1972: «Por razones ajenas a mi voluntad, esta pieza para demagogos, a través de su tormentosa carrera, parece haber llegado a alcanzar la consideración de un clásico»[131].

Pero ya desde abril de 1944, cuando se publica en la edición de Letras de México, Antonio Magaña Esquivel había reconocido su valor dramatúrgico:

---

[130] Daniel Meyran, «Conversation avec Rodolfo Usigli: l'aventure du "Teatro Popular de México". 1973-1976», *Études Mexicaines,* 1, Perpignan, IEM, 1978, pág. 90.

[131] Rodolfo Usigli, *El gesticulador,* México, Ed. Novaro, 1972, pág. 221.

Cartel de la adaptación cinematográfica de *El gesticulador*.

El gesticulador contiene, pues, una reserva de intención crítica acerca de la imperfección humana de cierto tipo de político. Pero al lado de esta significación del tema, está la expresión teatral y la estructura de la obra, que tienen auténticos valores atractivos[132].

Y José Bergamín, exiliado en México, había presentido, desde octubre de 1941, su alcance universal:

> Es claro que el autor se propone concentrar en la figuración humana de su comedia, *El gesticulador,* un tema específicamente mexicano: pero, al hacerlo, su comedia trasciende de sí misma y el tipo o figura proyectada escénicamente se agiganta a proporciones humanas fabulosas, de idéntica universalidad, de valor representativo en cualquier país, en cualquier tiempo[133].

Así pues, y a pesar de todo, *El gesticulador* es una de las piezas más representadas del teatro mexicano y la más significativa de la dramaturgia mexicana, pero rebasa su mexicanidad para alcanzar la universalidad por la trascendencia que opera de las fronteras de la vida mexicana, mostrando el enfrentamiento entre el hombre y el poder, entre el hombre y la conciencia de su propia existencia.

A los cuarenta años de edad, Usigli ya había escrito unas veinticuatro piezas, un «diario de trabajo» *Voces* (1932-1933), publicado por el seminario de cultura mexicana en 1967, un libro de poemas *Conversación desesperada* (1938), prólogos, epílogos, artículos, toda su obra teórica e histórica sobre el teatro y una gran cantidad de traducciones, ensayos que tardarán en publicarse: hasta 1979, con el tomo tercero de su teatro completo, y 1996, con el tomo cuarto. En paralelo con la escritura de *El gesticulador* y de *Corona de sombra* (1943), escribe su única novela *Ensayo de crimen* que publica la editorial América en 1944. Con ella, Usigli experimenta el género policiaco e

---

[132] Antonio Magaña Esquivel, «*El gesticulador*», *Letras de México,* abril de 1944, pág. 4.
[133] José Bergamín, «Simulación y Originalidad», *Hoy,* México, octubre de 1941, págs. 36-37.

indaga en la personalidad de un personaje que parece salir de la obra de Oscar Wilde o Thomas de Quincey, en cuanto al crimen como arte y destino. Es la primera novela en que aparece la ciudad de México de los años 30-40 con sus calles, sus lugares de conversaciones y encuentros (Sanborns, el hotel Reforma...), donde alternan los personajes imaginarios y reales, como Manuel Rodríguez Lozano, pintor amigo del autor, personaje-protagonista de su obra en verso *La exposición* en 1959 de la que confiesa Usigli a Alfonso Reyes, manifestando la obsesión del dramaturgo: «En todo caso, yo mismo no sabré lo que es *La exposición* mientras no salga al escenario pues usted no ignora qué pequeño es el número de los que saben visualizar el teatro al leerlo, escritores comprendidos»[134].

Después del trauma causado por el «caso de *El gesticulador*», Usigli conoce de nuevo un año más tarde, en el Teatro Colón, en junio de 1952, con *Jano es una muchacha*, el éxito y la polémica. Ya en el programa de mano se lee la advertencia siguiente: «no apta para menores ni para señoritas», *Jano es una muchacha* provoca el escándalo[135]. Usigli es acusado de «abyección moral» por llevar a la escena el sexo y la prostitución, mostrando a una hija de buena familia, Marina, que se hace prostituta:

> Vino después *Jano* que duró seis meses, comenta el propio Usigli (...). El público llegaba a nado a la taquilla y no es hipérbole (por lo de los aguaceros). Seis mil pesos mensuales de derechos y todos los insultos de la crítica. He comparado los desahogos mexicanos con los ingleses cuando se presentó *Espectros* en Londres, y difieren poco: cloaca, inmundicia, pecado, corrupción de la juventud, bla, bla, bla. Ahora era yo un monstruo, antes un Palillo...»[136].

---

[134] Carta inédita a Alfonso Reyes.

[135] José Luis Martínez, en «Un equívoco de Rodolfo Usigli», *México en la Cultura*, 29/6/52, pág. 6, denuncia la pieza en nombre de la moral como saber atestado: «Presentar un hacinamiento incongruente de abyecciones morales, anunciando que se va a presentar la verdad acerca de "la sexualidad del mexicano", y salpicar, por puro machismo, la obra de palabras gruesas, sólo para poner de prueba la amplitud de criterio del auditorio es escándalo y mala fe».

[136] Carta inédita a Alfonso Reyes.

Portada del programa de mano de *Jano es una muchacha*.
Acervo del CITRU.

Marina se desdobla, se vuelve Jano porque busca la verdad, porque quiere salir de la hipocresía y de la mentira. ¿No sería Marina una metáfora de la otra Marina, la arquetípica Marina, Mariana, Malinche, Malintzin? Como para César Rubio en *El gesticulador,* el desdoblamiento de Marina y de su padre Víctor en *Jano es una muchacha,* denota como objeto las famosas máscaras de las que hablan los intelectuales mexicanos desde Samuel Ramos (1934) hasta Carlos Fuentes (1958) pasando por Octavio Paz (1954) y por el propio Usigli (1938)[137].

Ya el estreno de *Los fugitivos,* en el Teatro Abreu, en julio de 1950, como luego el de *Un día de éstos...,* en el Teatro Esperanza Iris, en enero de 1954, acaban de convencerle que se le considera como *persona non grata* en México. En efecto, *Los fugitivos,* aunque situada en 1908, en tiempos del Porfiriato, fue vista como una crítica indirecta del régimen de Miguel Alemán y de su sospechada intención de reelección en 1952 y *Un día de éstos...* escrita en 1953, donde Usigli trata del problema de la soberanía nacional en un país imaginario, Indolandia, para naciones dependientes económica y políticamente de Estados Unidos, como lo era México en aquel entonces, como una compromisión del autor al lado del presidente Ruiz Cortines en su ruptura con el alemanismo[138].

---

[137] Véase Samuel Ramos, *El perfil del hombre y la cultura en México,* Buenos Aires, Espasa-Calpe, 1951. Rodolfo Usigli, «Epílogo sobre la hipocresía del mexicano», *T. C.* III, ed. cit., págs. 452-478. Octavio Paz, *El laberinto de la soledad,* México, FCE, 1954. Carlos Fuentes, *La región más transparente,* México, FCE, 1958.

[138] Usigli confiesa a Alfonso Reyes: «Al mismo tiempo que en el Ideal hacía *Noche de estío,* el Arbeu sentaba *Los fugitivos,* especie de pastiche del porfiriato, como lo llama Daniel Cosío Villegas, para atacar la supuesta reelección de Miguel Alemán. (...) Como aparecen al final dos jóvenes que resultan llamarse Antonio Caso y José Vasconcelos, maderistas, mientras se consume la venta de la hija menor de la familia a un supuesto lord con olfato petrolero, se armó la gresca y continuó en grande (...)»; y más lejos añade: «Aparecerá pronto, espero, en el Fondo de Cultura, *Un día de éstos...,* con candente prólogo y todo. Bernardo puede contarle a Ud qué fue el estreno, con asistencia de la señora de Ruiz Cortines... Los alemanistas la boicotearon, los cronistas la confundieron con una petición de empleo (...) Once noches de entusiasmo entre actores y público, cerrojazo, insultos y esquelas mortuorias en la prensa (...)».

Entonces se marcha Usigli, acepta el puesto de ministro plenipotenciario de México en el Líbano de 1956 a 1959, luego de embajador en este país, siendo paralelamente ministro y embajador en Etiopía, pero con sede en Beirut de 1959 a 1962 y por fin embajador de México en Noruega de 1962 a 1971. Estas dos salidas de la escena mexicana las resiente Usigli como un exilio, un desarraigo, un verdadero mal físico, que solía calificar de «Beirutitis» en Beirut y de «Osledad» (soledad) en Oslo. La carta inédita ya citada que dirige a Alfonso Reyes (empezada el 21 de octubre de 1959 y acabada el 29 de noviembre de 1959) y que Alicia Reyes me permitió fotocopiar, es un testimonio patente de ello: termina diciendo con amargura:

> El mayor reproche que se me ha hecho es mi falta de universalidad. La dedicación de toda mi obra a México[139].

La crítica, que no ve más que lo que se quiere, no había entendido la modernidad ni la universalidad de Usigli tal como aparece en su visión de la historia o en su visión del hombre.

Lejos de México, Usigli sigue trabajando, traduciendo a Georges Schéhadé[140], pensando en el teatro, imaginando el proyecto de «El gran teatro del nuevo mundo» con la famosa trilogía de *Las tres coronas: Corona de sombra* (1943), *Corona de fuego* (1960) y *Corona de luz* (1963).

Corona de sombra, «pieza antihistórica en tres actos y once escenas», es la primera y la última si uno se refiere a la cronología de la historia y es una de las más logradas, pasa casi inadvertida en abril de 1947 cuando se estrena en Bellas Artes: una «malhadada aventura»[141].

En esta pieza, Usigli quiere mostrar al público mexicano que la soberanía política de México se forja con la caída del imperio de Maximiliano y Carlota (1864-1867) e inventa a

---

[139] Carta inédita a Alfonso Reyes.
[140] Georges Schéhadé, diplomático y poeta libanés nacido en 1910. Usigli traducirá en 1959 *Historia de vasco* y en 1962, *El viaje.*
[141] «...Yo me embarqué en la malhadada aventura de *Corona de Sombra* (una sola y muy costosa representación llena de amargas repercusiones (...)», Rodolfo Usigli, *T. C.* III, ed. cit., pág. 541.

otro historiador (igual que César Rubio), Erasmo Ramírez, que observa y recrea la historia porque bien sabe que la cronología no es nada al lado del sentido de la historia:

> He inventado, en Erasmo Ramírez, a un historiador que busca en el presente la razón del pasado: que conoce todas las fechas, pero que sabe que todos los números son convertibles y no inmutables[142].

En *Corona de fuego*, «primer esquema para una tragedia antihistórica americana», tragedia en versos, plantea el problema del mestizaje, rehabilita al personaje de Marina/Malinche y revela a Cuauhtemoc, héroe trágico, que asume su papel al comprender que necesariamente él debe morir por los otros porque de su sangre nacerá la nueva nación mexicana.

En la última, *Corona de luz*, que sería la segunda en la cronología de la historia, «comedia antihistórica en tres actos», intenta encontrar una explicación y un sentido al milagro de la aparición de la Virgen de Guadalupe «inventada» por Carlos V pero aparición adelantada y creada por los propios indios[143].

«Antihistóricas», como son «impolíticas» sus primeras comedias ya citadas *(Noche de estío, El presidente y el ideal, Estado de secreto)* porque no quiere cambiar la historia o la política «sino simplemente enfocarla desde una perspectiva más afín con la sensibilidad evolucionada de nuestro tiempo»[144] y añade Usigli como comentario:

> Si no se escribe un libro de historia, si se lleva un tema histórico al terreno del arte dramático, el primer elemento que debe regir es la imaginación, no la historia. La historia no puede llenar otra función que la de un simple acento de color, de

---

[142] Rodolfo Usigli, «Prólogo después de la obra *Corona de sombra*, *T. C.* III, ed. cit., pág. 625.

[143] Véase el artículo de Alejandro Ortiz Bulle-Goyri, «Tres Coronas para México o el viaje de Usigli a la historia», en *Rodolfo Usigli: ciudadano del teatro*, ed. cit., págs. 116-128.

[144] Rodolfo Usigli, «Presencia de Juárez en el teatro universal: una pareja», *T. C.* IV, México, FCE, 1996, pág. 403.

ambiente o de época. En otras palabras, *sólo la imaginación permite tratar teatralmente un tema histórico*[145].

Por todo ello, *Las tres coronas,* como *El gesticulador,* como sus melodramas: *Medio tono, El niño y la niebla, Aguas estancadas, Jano es una muchacha...,* como sus piezas de teatro dentro del teatro: *Vacaciones I* y *Vacaciones II, La crítica de la mujer no hace milagros* o *La función de despedida,* como sus textos históricos o teóricos sobre el teatro, como sus ensayos críticos, constituyen una expresión polifacética de una verdadera y original expresión artística, la de una vida consagrada al arte dramático: «O teatro o silencio, o teatro o nada.»

Se jubila como embajador en 1971 y vuelve a México. Sus últimas piezas, *Los viejos* (1970) y *Buenos días, señor presidente* (1972), son la expresión de viejos rencores contra la juventud que está venerada en la época y contra sus alumnos vueltos dramaturgos conocidos como Sergio Magaña, Emilio Carballido, Jorge Ibargüengoitia. Luisa Josefina Hernández...[146]. Alejándose de la juventud, oponiéndose a los intelectuales mexicanos, polemizando con Octavio Paz a propósito del movimiento del 68[147], Usigli con Martín Luis Guzmán acepta la versión de Díaz Ordaz de la matanza de Tlatetolco. Desde ese día deja de ser un gesticulador.

Con la supuesta apertura democrática que inaugura el presidente Luis Echeverría para reconciliar a los intelectuales con

[145] Rodolfo Usigli, «Prólogo después de la obra...», *T. C.* III, ed. cit., pág. 623. Las cursivas son mías.

[146] Sergio Magaña había salido del teatro en pleno segundo acto de *Jano es una muchacha,* así como Jorge Ibargüengoitia, a propósito de *Corona de fuego,* escribió la parodia «No te achicopales Cacama», «sublime alarido de un ex-alumno herido», en *México en la Cultura* en 1961, pág. 9. Usigli no les perdonó y alude a eso en *Los viejos:* «...por qué me hizo la grave ofensa profesional de salir del teatro al empezar el tercer acto apenas, causándome así un daño enorme ante mi público...» (*T. C.* III, pág. 166), y más adelante «...Alguien me dijo después que el espectador que abandonó la sala al principio del tercer acto, haciendo ostentación —perdóneme— del rechinido de sus zapatos...» (*íd.,* pág. 170).

[147] Octavio Paz le reprochó no haber renunciado, como él lo hizo, a su puesto de embajador para protestar contra la matanza de Tlatelolco. Véase G. O. Schanzer , «Usigli, Calderón and the Revolution«, *Kentucky Romance Quaterly,* XXVI, 1979, págs. 193 y 200.

el poder, el proyecto de organizar un teatro popular, viejo sueño usigliano, le es confiado por su antiguo alumno entonces
presidente. Nace el «Teatro Popular de México» en 1973 y será
otro fracaso; su aventura duró tres años, hundiendo a Usigli
en una profunda desilusión, sintiéndolo como un fracaso
personal. Fue en aquella época, en octubre de 1977, cuando
nos vimos y entrevistamos en México[148]. El Premio América
que había recibido en 1970 y el Premio Nacional de Letras
en 1972, la puesta en escena de *Las madres* y el triunfo de la re-
posición de *Corona de sombra* el 10 de junio de 1977, en el Teatro
de la Nación, Teatro Hidalgo en México, la ovación pública
recibida en Guanajuato, no lo habían consolado de su soledad y de sus fracasos. Ya en *Conversación desesperada* en 1938
había escrito:

> Y perdido el silencio, y la palabra,
> hago este testamento
> para dejar al viento lo que queda de mí
> testigo mudo y lejano de mí mismo,
> Sombra de Soledad, sombra de espera[149].

A lo largo de la lectura de las 3.130 páginas de su *Teatro
completo* publicado de manera tardía por el Fondo de Cultura
de México, en cuatro entregas, que casi no se conocieron en
su tiempo para las dos primeras: 1963: tomo I; 1966: tomo II;
1979: tomo III, y 1996: tomo IV, y a partir de las casi 1.000
páginas de su obra teórica y crítica publicada: *México en el teatro,* 1932; *Caminos del teatro en México,* 1933; *Itinerario del autor
dramático,* 1940; *Anatomía del teatro* escrita en 1939 y publicada en 1967, descubría yo a un profesional del teatro, a un dramaturgo, pero también a un ensayista, a un historiador del
teatro, a un poeta, a un novelista a quien no se quería mucho
sí, pero quien no tenía nada que envidiar a los faros de la in-
telectualidad mexicana. Yo descubría, en fin, a un hombre de

---

[148] Véase Daniel Meyran, «Conversation avec Rodolfo Usigli: l'aventure
du "Teatro Popular de México". 1973-1976», art. cit.
[149] Rodolfo Usigli, *Conversación desesperada,* México, Cuadernos de México
Nuevo, 1938.

gran cultura autodidacta, de gran valor pedagógico en dramaturgia, a un hombre que consagró su vida al teatro y a México, a «un ciudadano del teatro», a un dramaturgo cuya modernidad y universalidad no podía ponerse en tela de juicio. El
propio Octavio Paz contestando a un cuestionario que le
mandó el profesor Ramón Layera y que se publicó en septiembre de 1991 en *La Jornada semanal*, dice:

> Lo único que lamento es que su cuestionario no toque las
> relaciones de Usigli con el teatro universal...[150];

y más adelante añade:

> Creo que tanto por su poderosa imaginación teatral como
> por la eficacia de su lenguaje, las obras de Usigli tienen un si-
> tio aparte, al lado de las más grandes, en el teatro de lengua
> hispana del siglo xx... La obra de Usigli está en la tradición
> del gran teatro universal[151].

«Imaginación teatral», *«eficacia de su lenguaje»*, son dos atribu-
tos de la universalidad del teatro usigliano, por cierto, pero lo
son también de su modernidad que se manifiesta tanto desde
el punto de vista de la dramaturgia como desde el punto de
vista de la temática[152].

Desde el punto de vista de la dramaturgia, basta volver a
leer sus escritos teóricos, como *La anatomía del teatro* o *El itinerario del autor dramático*, para comprobarlo. Son obras *fundamentales* para la creación, el trabajo teatral, en una perspectiva
de formación teatral y merecerían una reedición. En efecto,
esta *Anatomía* y este *Itinerario* revelan en las palabras mismas,
las relaciones estrechas entre el teatro y el hombre, la voluntad vital de vivir el teatro:

> Así, *La anatomía del teatro* se asemeja a la humana y tienen
> sitio en la cabeza los técnicos y el crítico que piensa: los oídos,

---

[150] Octavio Paz, art. cit.
[151] *Ibíd.*
[152] Véase Daniel Meyran, *Tres ensayos sobre el teatro mexicano contemporáneo*,
Roma, Bulzoni, 1996.

los ojos y el estómago son el público, y la nariz que olfatea, el empresario; la garganta y la lengua, el actor; los pies, el edificio, asentado y móvil a la vez; y las manos, los tramoyistas y los utileros. Pero el autor es la sangre y la respiración[153].

Son verdaderos modos de empleo. Estos dos textos teóricos responden a una doble necesidad:

1.º Necesidad de informar sobre y de formar a la profesión del teatro. Es la necesidad del teórico y del profesional que funda en 1937 la escuela de teatro de la UNAM y que da cursos de «Historia del Teatro y de Análisis y Composición del Drama» en la UNAM también, desde 1947 hasta 1956, fecha en la que le sucede su alumna, Luisa Josefina Hernández:

Abordar el teatro, escribe Usigli en *La anatomía,* es como querer nadar por primera vez atado de brazos y piernas en la mitad del mar (...). El teatro mexicano es un teatro en ruinas. No lo ha derrumbado una decadencia de siglos sino su mala fabricación que no ha resistido ese viento continuo que es el público[154].

Y muchas veces la imagen del constructor, del arquitecto o del albañil viene al lado de la del poeta en su definición del dramaturgo:

Poeta, mercader y gobernante, el autor dramático es además un arquitecto y un albañil[155].

2.º Necesidad también de informar y de formar al espectador, de ilustrar al público, y escribe con mucho acierto:

Seguir este itinerario no llevará a escribir buenas obras dramáticas sino a aquellos que poseen una capacidad de síntesis y un poder de creación latentes y en espera de un estímulo o

---

[153] Rodolfo Usigli, *Anatomía del teatro,* México, Ecuador 0° 0' 0", 1967, 38 págs.
[154] *Ibíd.*
[155] *Ibíd.*

de una técnica adecuada. No bastará seguir fielmente todos sus puntos para convertirse en un dramaturgo; pero hacerlo servirá por lo menos al fomento de un público en formación, al que la llamada crítica profesional no ha orientado hasta ahora en México[156].

El itinerario, que se asienta en *La Poética* de Aristóles, es el único manual de composición dramática existente en México y enfoca a la vez en el teatro el papel del autor, del actor, del director así como una teoría sobre los diferentes estilos. Después de interrogarse sobre la selección de géneros, aborda el texto teatral en una perspectiva de texto-representación. He aquí otro punto de modernidad: teoría y práctica no pueden separarse en Usigli, nos da el modo de empleo.

Innovador lo es Usigli en el lenguaje dramático valiéndose de «mise en abyme», pieza dentro de la pieza, juego con los espacios dramáticos, utilización de la utilería. Innovador porque, aunque se inscriba en una tradición universal, en una cultura teatral que va de Aristóteles a Pirandello, pasando por Shakespeare, Molière, Ibsen y Bernard Shaw, Usigli reivindica, por primera vez en México, el aprendizaje de una técnica dramática rigurosa. Innovador lo es porque habla como profesional del teatro y porque integra al espectador, al público, dentro de su concepción dramática.

> He tenido dos clases de maestros en mi oficio, una la componen los más grandes creadores, la otra el público. Por esta razón hay sólo dos clases de espectadores que me interesan: los que saben y los que sienten, y probablemente más los segundos... Porque el teatro para ser necesita la comunión o más únicamente dicho la complicidad del público[157].

Innovador porque le permite al dramaturgo desempeñar una función, un rol semiótico, en el que el Objeto (O) anécdota, fábula, sentido de la pieza, tiene como representante (R)

---

[156] Rodolfo Usigli, *Itinerario del autor dramático,* México, La Casa de España, 1940.
[157] Rodolfo Usigli, «Addenda después del estreno», *T. C.* III, ed. cit., pág. 736.

el texto-representación y como interpretante (I) el *habitus* del espectador común de la época considerada.

Moderno e innovador también porque el objeto teatral concebido por Usigli rompe con la costumbre logocéntrica de considerar el teatro como hecho esencialmente textual y literario. El objeto teatral se manifiesta en un texto representación, que es un signo complejo a la vez textual y visual que se construye según una dialéctica, la del *nombrar* y del *mostrar*[158].

El dramaturgo, como todo creador bien sabe, lo que a él le cuesta y siempre sabe lo que tiene que hacer. Bien sabe que tiene que resolver un problema. Quizá los datos de principio nazcan de una pulsión o de una obsesión (Usigli habla de memoria, de recuerdo de niñez a propósito de lo que le había contado su madre sobre Maximiliano y Carlota). Pero luego el problema se resuelve al interrogar el material de trabajo, material que lleva en sí sus propias leyes, pero que al mismo tiempo trae consigo el recuerdo de la cultura, el eco de la intertextualidad.

Fernando del Paso, en su novela crónica *Noticias del Imperio*, lo comprueba:

> Usigli pudo conciliar todo lo verdadero que pueda tener la historia con lo exacto que pueda tener la invención[159].

Pero ¿no será precisamente eso la propia meta de la historia como la de la literatura?

Si Usigli inventa a un historiador, poeta y dramaturgo, el profesor César Rubio en *El gesticulador*, si inventa a un historiador-mirón y cronista, Erasmo Ramírez, en *Corona de sombra*, primero es porque bien sabe que: «la Historia no es ayer, sino hoy, mañana, siempre»[160], afirmando así la vitalidad y la universalidad de su pensamiento.

---

[158] Véase Daniel Meyran, *El discurso teatral de Rodolfo Usigli*, ed. cit.

[159] Fernando del Paso, *Noticias del Imperio*, México, Mondadori, 1987, pág. 642.

[160] Rodolfo Usigli, «Prólogo a *Corona de sombra*», *T. C.* III, ed. cit., pág. 624.

En todo ello, como lo he demostrado en varios estudios, Usigli está muy cerca de sus modelos Ibsen, Shaw y Pirandello. Ha tomado de ellos la pasión moral y política, el gusto por la paradoja y la ironía, la afición a los prólogos explicativos, pero también la valorización del individuo y de la vida como subida de instinto y de sentimiento contra la forma que tiende a frenar, a encauzar el flujo continuo de la vida, y además esta duda entre la realidad y la ficción o la irrealidad de la propia realidad. Así, Rodolfo Usigli ha dado al mundo una imagen al mismo tiempo real «por el ojo de la cerradura» y mítica «más allá del espejo» de los hombres y de las mujeres de México con el fin de quitarles su «complejo de inferioridad» y con el fin de encontrar al ser humano universal. Recuerdo una frase que pronuncia César Rubio en el primer acto de *El gesticulador*, frase que me parece ilustrar esta problemática de la historia y de la biografía:

> CÉSAR.—Sin embargo, la historia no es más que un sueño. Los que la hicieron soñaron cosas que no se realizaron; los que la estudian sueñan con cosas pasadas; los que la enseñan (...) sueñan que poseen la verdad y que la entregan (Acto I, págs. 143-144).

ANÁLISIS DE «EL GESTICULADOR»

La familia Rubio, procedente de la capital, acaba de llegar a un pueblo del norte de México, que más tarde, identificaremos como Allende, cerca de Monterrey. Por las propuestas de los dos hijos, Miguel y Julia, sabemos que este pueblo es el pueblo nativo de su padre, César Rubio, y que volvió a él porque ya no podía soportar la situación en la universidad nacional donde éste impartía clases de historia de la revolución mexicana. Le reprochan al padre su falta de ambición, su fracaso social y la obligación de «ir a un desierto cuando tiene [uno] veinte años» (pág. 119). En este mismo pueblo y en la misma fecha que el profesor César Rubio, había nacido otro hombre, con el mismo nombre César Rubio. General revolucionario de los primeros tiempos, había desaparecido en circunstancias inexplicables al principio del sublevamiento. El azar hace llegar a un profesor de historia de la universidad de Harvard, en los Estados Unidos, Oliver Bolton, y después de una conversación en la que César Rubio hace alarde de sus conocimientos detallados sobre la historia de la revolución, se produce un equívoco en el que Bolton supone que el profesor y el famoso general César Rubio son la única y misma persona:

> CÉSAR.—Ser, en apariencia, un hombre cualquiera... un hombre como usted... o como yo... un profesor de historia de la revolución, por ejemplo.
> BOLTON.—*(Cayendo casi de espaldas.)* ¿Usted?
> CÉSAR.—*(Después de una pausa.)* ¿Lo he afirmado así?
> BOLTON.—No..., pero... *(Reaccionando bruscamente, se levanta.)* Comprendo. ¡Por eso es por lo que no ha querido usted publicar la verdad! (CÉSAR *lo mira sin contestar.)* (...) (Acto I, págs. 144-145).

El profesor César Rubio, a expensas de la insistencia de su esposa Elena, no hace nada para sacarlo del equívoco. El investigador norteamericano vuelve a su país y revela su descubrimiento de que el general César Rubio vive. La noticia llega a México, se difunde por todo el país, alcanza a la familia Rubio que queda desconcertada y da lugar a que aparezcan todos los políticos para ofrecerle al supuesto general César Rubio que se presente a gobernador en las elecciones que están por celebrarse. Acepta porque cree en la revolución y en la posibilidad de poner en práctica los ideales del héroe revolucionario César Rubio. Finalmente, el asesino del héroe aparece. Es el general Navarro, actual gobernador que no quiere dejar de serlo. Quiere corromper a César Rubio y como no lo consigue, lo manda asesinar. Pero no sólo asesina al nuevo César Rubio, sino que utiliza su muerte para su provecho político, matando así la verdad de la revolución:

> LA VOZ DE NAVARRO.—(...) César Rubio ha caído a manos de la reacción en defensa de los ideales revolucionarios. Yo lo admiraba. Iba a ese plebiscito dispuesto a renunciar en su favor, porque él era el gobernante que necesitábamos. *(Murmullo de aprobación.)* Pero si soy electo, haré de la memoria de César Rubio, mártir de la revolución, víctima de las conspiraciones de los fanáticos y los reaccionarios, la

más venerada de todos. Siempre lo admiré como a un gran jefe. La capital del Estado llevará su nombre, le levantaremos una universidad, un monumento que recuerde a las futuras generaciones... (Act. III, pág. 208).

El tiempo de la acción es «hoy», es decir 1937 y 1938, los años del cardenismo, un momento en la historia de México en que el partido que está en el poder, el PNR (Partido Nacional Revolucionario), se asienta transformándose radicalmente en PRM (Partido de la Revolución Mexicana), en la pieza «Partido de la Revolución Nacional», entre mayo y abril de 1938. El PRM es el resultado de la política del presidente Lázaro Cárdenas que, según la opinión general, explica el México contemporáneo. Es entonces cuando se instalan todas las estructuras del México actual tanto en el nivel económico y social como en el nivel político, sindical y cultural. Además, la formación ideológica que caracteriza a México durante la presidencia de Lázaro Cárdenas (1934-1940) es particularmente dinámica: contribuyen a ello la penetración del marxismo con Lombardo Toledano como teórico, la llegada en enero de 1937 de León Trotsky y, sobre todo, a partir de 1938, la acogida de los intelectuales republicanos españoles, entre ellos José Gaos, el filósofo, difusor de las ideas de Ortega y Gasset, pero también el mantenimiento del nacionalismo mexicano y la intensificación de la reforma agraria[161]. El proyecto cardenista está marcado por la necesidad de cambiar a los hombres para integrarlos en una dinámica de progreso con la reforma del artículo tercero de la Constitución y la famosa «Educación socialista», que, en cierto modo, fracasa. Los modelos importados de Europa, como el marxismo, se neutralizan al provecho de la ideología de la revolución mexicana, lo que se traduce en 1938 en la integración de los sindicatos obreros y campesinos en el Partido de la Revolución Mexicana[162]. Es el

---

[161] De 1935 a 1940, Lázaro Cárdenas reparte 18 millones de hectáreas, principalmente durante los cuatro primeros años de su mandato.

[162] Véase José Conchello, Ángel Verdugo Martínez, Francisco Ortiz Mendoza *et alii, Los Partidos políticos de México*, núms. 49-50-51, México, FCE, 1975 (Archivos del fondo).

momento cuando César Rubio convence a su familia de dejarlo todo en la capital del país, de volver a las raíces del pueblo nativo en el norte para comenzar una nueva vida, utilizando sus conocimientos del pasado histórico para aprovechar la situación de las próximas elecciones y salir del apuro:

> CÉSAR.—(...) Y porque se me ocurre que podemos salvarnos todos volviendo al pueblo donde nací, donde tenemos por lo menos una casa que es nuestra, parece que he cometido un crimen. Claramente les explicué porqué quería venir aquí.
> MIGUEL.—Eso es lo peor. Si hubiéramos tenido que ir a un lugar fértil, a un campo; pero todavía venimos aquí por una ilusión tuya, por una cosa inconfesable...
> CÉSAR.—¿Inconfesable? No conoces el precio de las palabras. Va a haber elecciones en el Estado, y yo podría encontrar un acomodo. Conozco a todos los políticos que juegan... podré convencerlos de que funden una universidad, y quizá seré rector de ella[163].

Y luego, dirigiéndose a Elena, su esposa:

> CÉSAR.—(...) Mañana iremos al pueblo por provisiones, y yo averiguaré dónde está Navarro para ir a verlo y arreglar trabajo de una vez.
> ELENA.—¿Navarro?
> CÉSAR.—El general, según él. Es un bandido, pero es el posible candidato... el que tiene más probabilidades. No se acordará de mí; tendré que hacerle recordar... Esto es como volver a nacer, Elena, empezar de nuevo; pero en México empieza uno de nuevo todos los días[164].

El espacio escénico lo constituye, precisamente, la casa natal del profesor César Rubio, en el norte, en el estado de Nuevo León, cerca del pueblo de Allende, como informa dos veces el texto dramático, en el acto segundo:

> MIGUEL.—Hay algo más. *(Lee.)* «El profesor Bolton declaró a los corresponsales extranjeros que encontró a César Rubio

---

163 *Infra*, pág. 122.
164 *Íd.*, pág. 127.

en una humilde casa de madera aislada cerca del pueblo de Allende (...)»[165].

Y más adelante, cuando llegan los políticos:

> GUZMÁN.—(...) Yo vine como presidente municipal de Allende a discutir otras cuestiones que importan al Estado. (...)[166].

Una vez caracterizado como referencia a un espacio particular, el lugar escénico constituye, desde las primeras didascalias, un espacio de tres dimensiones: dos dimensiones escénicas y una extra-escénica:

1. *Dos terceras partes de la escena representan la sala, mientras la tercera parte, al fondo, está dedicada al comedor. La división entre las dos piezas consiste en una especie de galería: unos arcos con pilares descubiertos, hechos de madera; con excepción del arco central, que hace función de pasaje, los otros están cerrados hasta la altura de un metro por tablas pintadas de un azul pálido y floreado, que el tiempo ha desleído y las moscas han manchado.*

2. *La sala tiene en primer término izquierda, una puerta que comunica con el exterior; un poco más arriba hay una ventana amplia; al centro de la pared derecha, un arco conduce a la escalera que lleva a las recámaras. Al fondo de la escena, detrás de los arcos, es visible una ventana situada al centro.*

3. *Una puerta, al fondo derecha, lleva a la pequeña cocina, en la que se supone que hay una salida hacia el solar característico del Norte[167].*

La extra-escena está nombrada por la puerta que da al exterior y esa hipotética salida a un patio característico de una región particular, el Norte. Estas aperturas no desembocan del otro lado del espectáculo representado, sino sobre un

---

[165] *Íd.*, pág. 157.
[166] *Íd.*, pág. 166.
[167] *Íd.*, págs. 117-118.

mundo homogéneo, el mundo que es mostrado en escena a partir del espacio escénico y de los elementos del decorado que lo construyen en redundancia según una voluntad del dramaturgo de hacer explícita la puesta en escena de su enunciado teatral, de guiar a los profesionales del teatro y a los espectadores[168].

Primero los muebles que evocan en el primer acto la modestia y la vetustez:

> *Los muebles son escasos y modestos: dos sillones y un sofá de tule, toscamente tallados a mano, hacen las veces de juego confortable, contrastando con algunas sillas vienesas, bastante despintadas (...) tablas pintadas de un azul pálido y floreado, que el tiempo ha desleído y las moscas han manchado. Demasiado pobre para tener mosaicos o cemento, la casa tiene un piso de tipichil, o cemento doméstico, cuya desigualdad presta una actitud —dijérase— inquietante a los muebles*[169].

La representación empieza, el telón se levanta sobre un espacio escénico construido para significar la pobreza pero también la desilusión. Notamos que las informaciones que llevan los indicios que construyen el espacio privilegian el prefijo privativo «des-»: «despintados», «desleídos», «descubiertos», «desigualdad»... Señalan una imagen gastada, modesta del espacio escénico y de la realidad que representa e informan sobre una situación económica y mental, que es la proyección del espacio psíquico de los personajes: desencanto, desilusión, amargura. César, contestando a sus hijos Miguel y Julia que le acusan de haber malgastado su vida y que no aceptan la salida de la capital, dice:

> CÉSAR.—Sí, más vale que hablemos claro. No quiero ver a mi
> alrededor esas caras silenciosas que tenían en el tren, reprochándome el no ser general, el no ser bandido inclusive, a
> cambio de que tuviéramos dinero. No quiero que vuelva-

---

[168] En el Acto I, por ejemplo, se notan 197 didascalias para 376 réplicas, o sea, un 52,4 por 100.

[169] *Infra*, pág. 117.

mos a estar como en los últimos días en México, rodeados de pausas. Déjalos que estallen y lo digan todo, porque también yo tengo mucho que decir, y lo diré[170].

Hay que esperar el tercer acto para que el cambio producido sobre la personalidad de los personajes por el desdoblamiento de César Rubio, quien de personaje-realidad se vuelve personaje de ficción, de profesor de historia de la revolución mexicana se vuelve general revolucionario, actor de esta revolución, modifique el espacio escénico. Pero el lugar escénico no cambia, lo que cambia, lo que está modificado es la ocupación del espacio por los accesorios, por el objeto escénico:

> *La sala tiene ahora el aspecto de una oficina provisional. Hay un escritorio; una mesa para máquina de escribir, con su máquina; papeles y libros amontonados. Hay un rollo de carteles en el suelo junto a los arcos del comedor. Uno de ellos, desplegado, muestra la imagen de* CÉSAR *Rubio con la leyenda* El candidato del pueblo[171].

Esa nueva ocupación del espacio corresponde a la actividad del nuevo César Rubio; las herramientas indispensables para la creación del icono del hombre político, candidato a las elecciones llaman nuestra atención: «el escritorio», «la máquina de escribir», «papeles y libros», «rollo de carteles», «un cartel desplegado» con la efigie del candidato César Rubio. Es, pues, de alguna manera, un espacio escénico diferente, proyección de los sueños del personaje, que se superpone al primero y lo invade y, más aún, traduce la imagen de una imagen, la transformación del personaje que lo ocupa:

> *Entra* CÉSAR *Rubio. En estas cuantas semanas se ha operado en él una transfiguración impresionante. Las agitaciones, los excesos de control nervioso, la fiebre de la ambición, la lucha contra el miedo, han dado a su rostro una nobleza serena y a su mirada una limpidez, una seguridad casi increíble[172].*

---

[170] *Íd.*, pág. 121.
[171] *Íd.*, pág. 179.
[172] *Íd.*, pág. 181.

Escena de *El gesticulador*. Emeterio Rocha, rodeado de Treviño y Salinas, con Guzmán al fondo, identifica al general César Rubio (final del segundo acto). Dirección de Wilberto Cantó, escenografía de David Antón, 1964, prod. INBA.

Lo que llena el escenario ahora es la máscara del general César Rubio, el profesor ha desaparecido. Son la gestualidad y la mímica en la relación con el espacio. Es el traje como atributo del actor-personaje. Todo ello se instituye como representación de un espacio mental:

> *A pesar del calor, viste un pantalón y un saco de casimir oscuro; una camisa blanca y fina y una corbata azul marino de algodón. Lleva en la mano un sombrero de los llamados tejanos, blanco, «cinco equis», que ostenta el águila de general de división. Éste sería el único lujo de su nueva personalidad, si no se considerara en primer lugar la minuciosa limpieza de su persona como un lujo mayor aún[173].*

El espacio mental del personaje-imagen César Rubio, general, construye y organiza el espacio escénico con nuevos personajes que lo ocupan. Son adyuvantes de César Rubio: Estrella (delegado del Partido), Guzmán (presidente municipal)[174], Salinas y Treviño (diputados); u opositores a él: Navarro (general, candidato contra Rubio), León y Salas (pistoleros).

Otros desaparecen o se alejan de él, mirando y escuchando, pero sin penetrar jamás en él: Elena (la esposa de César Rubio), Julia y Miguel (los hijos de César Rubio).

Este modelo espacial, tal como lo concibe el dramaturgo Rodolfo Usigli, se articula en dos subespacios «dramáticos» que se distinguen y se oponen. Al espacio «A» de la familia del profesor Rubio se opone el espacio «B» de la familia política del general Rubio. Invadiendo el espacio «B», el personaje del general Rubio se vuelve símbolo, símbolo de cierta idea de autenticidad revolucionaria, autenticidad que sólo puede asumirse con la muerte del héroe. Atravesada la frontera entre el espacio «A» y el espacio «B», «cruzando el puente»[175], el regreso es imposible, la muerte es irreductible[176].

---

[173] *Ibíd.*
[174] En México, el presidente municipal es el alcalde.
[175] La expresión es de José Triana (dramaturgo cubano).
[176] Este esquema se puede notar desde la primera tragedia, la tragedia original, la de Esquilo, y me hace pensar formalmente en lo que Yuri Lotman dice

Este franqueamiento de un espacio a otro, este salto de la frontera sucede bajo la mirada del «otro». Elena, Miguel y Julia, actores en un espacio, son espectadores en otro, miran, impotentes, la transfiguración de César y nos invitan a entrar, una vez más, en el teatro dentro del teatro. Su mirada sobre el otro espacio parece decir: estamos en el teatro y lo que se nos enseña es la verdad. He aquí la significación de la última escena de la obra (Acto III) entre Miguel (el observante) y Navarro (el observador), Miguel lo ha visto todo, lo ha oído todo, *«Miguel entra apenas en este momento sin que se le haya sentido bajar. Al oír las voces* (entre César y Navarro) *se detiene, retrocede y desaparece sin ser visto, pero desde este momento asomará incidentalmente la cabeza varias veces»*[177], y quiere gritar la verdad:

MIGUEL.—¿Usted? Tengo que aclarar algo, primero con usted, luego con todo el mundo.

NAVARRO.—*(Brutal.)* ¿Qué es lo que sabe usted?

MIGUEL.—Sé que usted mató a mi padre. *(Con una violencia incontenible.)* Lo sé. ¡Oí su conversación! (...)

NAVARRO.—Cuando se calme usted, joven, comprenderá cuál es su verdadero deber. Lo comprendo yo, que fui enemigo político de su padre. Todo aquel que derrama su sangre por su país es un héroe. Y México necesita de sus héroes para vivir. Su padre es un mártir de la revolución.

MIGUEL.—¡Es usted repugnante! Y hace de México un vampiro..., pero no es eso lo que me importa... es la verdad, y la diré, la gritaré.

NAVARRO.—*(Se lleva la mano a la pistola.* MIGUEL *lo mira con desafío.* NAVARRO *reflexiona y ríe.)* Nadie lo creerá. (...)

MIGUEL.—Encontraré pruebas de que él no era un héroe y de que usted es un asesino.

---

del texto artístico: «La frontera divide todo el espacio del texto en dos subespacios que no coinciden mutuamente. Su propiedad fundamental es la impenetrabilidad. La manera por la cual el texto está dividido por su frontera constituye una de las características esenciales. Eso puede ser una división entre "suyos" y "extranjeros", vivos y muertos, pobres y ricos... Lo importante está en otra parte: la frontera que divide un espacio en dos partes ha de ser impenetrable, y la estructura interna de cada subespacio, diferente» *(La Structure du texte artistique,* París, Gallimard, 1973, pág. 331). La traducción es mía.

[177] *Infra,* pág. 190.

NAVARRO.—*(En la puerta.)* ¿Cuáles? Habrá que probar una cosa u otra. Si dice usted que soy un asesino, gente mal intencionada podría creerlo; pero como también piensa usted decir que su padre era un farsante, nadie lo creerá ya. Es usted mi mejor defensor (...)[178].

Y Miguel sale del escenario gritando:

MIGUEL.—¡La verdad![179].

Revelación de lo verdadero y afirmación de la teatralidad son las dos funciones del teatro dentro del teatro, sobre las que insisto en esta lectura. Miguel revela al espectador la culpabilidad oculta, la verdad escondida del desvío del ideal revolucionario al provecho de una institución. Así, el modelo histórico y político del espacio creado por el dramaturgo se vuelve fundamento de un modelo ideológico, de una imagen del mundo mexicano que Usigli comenta y cuestiona, en paralelo a la pieza, en su ensayo «Epílogo sobre la hipocresía del mexicano» (1938), anticipando, así, las observaciones sobre el drama de la esencia del ser mexicano que Octavio Paz contempla en *El laberinto de la soledad,* convocando a las máscaras mexicanas y definiendo una herencia desde Juan Ruiz de Alarcón hasta Rodolfo Usigli, escribe:

Al plantearse el problema de la autenticidad, Alarcón anticipa uno de los temas constantes de reflexión del mexicano que más tarde recogerá Rodolfo Usigli en *El gesticulador*[180].

Y más adelante Octavio Paz, demostrando que «la mentira es un juego trágico», comenta:

Simulando, nos acercamos a nuestro modelo y, a veces, el gesticulador, como ha visto con hondura Usigli, se funde con sus gestos, los hace auténticos. La muerte del profesor César Rubio lo convierte en lo que deseaba ser: el general Rubio, un

---

[178] *Íd.*, págs. 209-210.
[179] *Íd.*, pág. 211.
[180] Octavio Paz, *El laberinto de la soledad,* México, FCE, 1959, pág. 30.

revolucionario sincero y un hombre capaz de impulsar y purificar a la Revolución estancada. En la obra de Usigli, el profesor Rubio se inventa a sí mismo y se transforma en general; su mentira es tan verdadera que Navarro, el corrompido, no tiene más remedio que volver a matar en él a su antiguo jefe, el general Rubio. Mata en él la verdad de la Revolución[181].

Cuando Rodolfo Usigli hace decir a su personaje César Rubio que está amonestando a su hijo Miguel, en el primer acto de la pieza: «No conoces el precio de las palabras»[182] infiere el poder del lenguaje sobre el mundo, sobre la sociedad. Asistimos, entonces, a lo largo de la obra, a la construcción de la significación a partir de las palabras y de los gestos. Así, *El gesticulador* pone en escena y hace ver el poder del lenguaje para crear y subvertir la realidad y ello desde el principio de la obra. En efecto, con el título mismo, *El gesticulador,* nos advierte que la simulación, la afectación, la máscara son los signos clave que van a mostrar en el lenguaje, utilizando la diferencia entre la intención y el sentido, entre la verdad aparente y la mentira escondida. La frase «He dicho ya que soy César Rubio» que contesta a la pregunta del diputado Estrella, venido para identificarlo en el Acto segundo[183], se vuelve núcleo del conflicto, y la fábula refleja las reacciones de los personajes en la relativa presencia de este nombre. Además, como César Rubio tiene que ver con su antigua y su nueva identidad simultáneamente, Usigli nos presenta a un personaje que evoluciona constantemente y que reacciona a su nombre y a su papel. Primero, en el primer acto, César permite a Bolton suponer que él, el profesor Rubio, es el famoso general desaparecido en condiciones misteriosas y se sirve de las palabras para construir esta nueva realidad[184]. Luego, utiliza la misma táctica con los diputados, que, una vez identificado, le proponen el puesto de gobernador. Después del «yo he dicho que soy el otro César Rubio»[185] que dirige a su esposa Elena, al

---

181 *Ibíd.,* pág. 36.
182 *Infra,* pág. 122.
183 *Íd.,* pág. 161.
184 Véase *infra,* págs. 144-145.
185 *Íd.,* pág. 154.

principio del segundo acto, pasamos al «He dicho ya que soy César Rubio», para revelar finalmente en el acto tercero: «No soy César Rubio. Pero sé que puedo serlo...»[186]. La fuerza de este acto de palabras adquiere un resultado indirecto por las implicaciones metateatrales debidas al desdoblamiento del personaje. César Rubio, el profesor, «juega a» César Rubio, el general, inscribiendo en el desarrollo de la fábula, una obra en la obra, teatro en el teatro, como su comentario en cierto modo. El personaje César Rubio va convirtiéndose a sí mismo en el héroe César Rubio a partir de los signos que son las palabras: «He dicho ya que soy César Rubio».

Aquí tenemos la representación concreta de la fórmula teórica de todo acto de palabra en el teatro: «He dicho que soy». El primer «yo» es teóricamente un «él» objetivo, el del autor, pero, sin embargo, es él quien nombra a su manera lo que sólo parecía mostrado miméticamente. Es un indicio que permite la aparición del icono del general César Rubio. El segundo «yo» es el del personaje, se supone que es el sujeto de verbos de acción y que no reflexiona sobre su situación de locutor. Entre los dos «yo» se establece todo un juego de intercambios y de identificaciones, a fin de atribuir el sentido a las palabras. Usigli, entonces, nos incita a participar de este juego, nos invita a ir por el otro lado del espejo, llamando la atención del espectador sobre el papel del lenguaje en el teatro y en la sociedad. César Rubio no miente, sencillamente pasa por alto decir la verdad:

> CÉSAR.—Yo no mentí. (...) Yo no afirmé nada, y le vendí solamente lo que él quería comprar[187].

Crea, así, una realidad nueva, que recorta en el lenguaje y mediante el lenguaje. Hace cosas con palabras no para reflejar sino para «hablar» y construir la realidad de la cual es necesariamente el producto. Por dos veces, César intenta justificar su postura, afirmando ser el producto de una realidad contextual, característica de la sociedad mexicana. Primero, frente a su esposa Elena que le pide restablecer la verdad:

---

186 *Íd.*, pág. 192.
187 *Íd.*, pág. 150.

ELENA.—(...) ¿Por qué quieres ser otra cosa... ahora?

CÉSAR.—Todo el mundo aquí vive de apariencias, de gestos. Yo he dicho que soy el otro César Rubio... ¿A quién perjudica eso? Mira los que llevan águila de general sin haber peleado en una batalla; a los que se dicen amigos del pueblo y lo roban; a los demagogos que agitan a los obreros y los llaman camaradas sin haber trabajado en su vida con sus manos; a los profesores que no saben enseñar, a los estudiantes que no estudian. Mira a Navarro, el precandidato..., yo sé que no es más que un bandido, y de eso sí tengo pruebas, y lo tienen por un héroe (...). Y ellos sí hacen daño y viven de su mentira. (...)[188].

Luego, frente a Navarro, el opositor, que le aconseja, bajo amenaza, retirar su candidatura para gobernador:

NAVARRO.—¡Ten cuidado!

CÉSAR.—¿De qué? Puede yo que no sea el gran César Rubio. Pero ¿quién eres tú? ¿Quién es cada uno en México? Dondequiera encuentras impostores, impersonadores, simuladores; asesinos disfrazados de héroes, burgueses disfrazados de líderes; ladrones disfrazados de diputados, ministros disfrazados de sabios, caciques disfrazados de demócratas, charlatanes disfrazados de licenciados, demagogos disfrazados de hombres. ¿Quién les pide cuentas? Todos son unos gesticuladores hipócritas[189].

En la metapieza que pone en escena en el texto dramático del autor-Usigli, César Rubio escoge de una vez la actitud del escritor dramaturgo que considera las palabras como signos y no como cosas. Para encontrar su propio sitio en la historia, el historiador César Rubio se vuelve «poeta» y trasciende los límites de la historia para inventarse a sí mismo. Hay un dramaturgo en César Rubio, hay un Rodolfo Usigli que se mira en él como en un espejo[190].

---

[188] *Íd.*, págs. 154-155.

[189] *Íd.*, pág. 191.

[190] Véase, Daniel Meyran, «La historia no es ayer sino hoy, mañana, siempre... Le théâtre et le temps retrouvé», en Jacqueline Covo (ed.), *Les Représentations du temps historique*, Lille, PUL, 1994, págs. 205-215.

Así, una lectura metateatral de la pieza nos permite ver cómo César Rubio se vuelve actor, cómo desempeña perfectamente su papel, hasta subraya el desdoblamiento de personalidad para los espectadores, el juego de espejos del teatro dentro del teatro, cuando a la pregunta de Treviño: «¿Por qué habla usted de sí mismo como si se tratara de otro?», contesta: «Porque quizás así es»[191]. Teatralización del teatro sobre la que Usigli insiste un poco más adelante con dos acotaciones escénicas: *«involuntariamente en el papel, viviendo ya el mito de* César *Rubio»*[192], y *«desamparado, arrastrado al fin por la farsa»*[193].

No sólo en *El gesticulador* utiliza Usigli este procedimiento de desdoblamiento, sino que forma parte de su concepción dramatúrgica como de su visión del mundo: en *Corona de sombra,* desdoblamiento de Carlota; en *Mientras amenos,* desdoblamiento e inversión de los papeles entre Bernardo y Fausto; en *Aguas estancadas,* desdoblamiento de Sarah; en *Jano es una muchacha,* desdoblamiento de Mariana-Marina... A Rodolfo Usigli, como a otros dramaturgos, le obsesiona el problema de la ilusión: ilusión y realidad, mundo imaginario y mundo real, ficción e historia, verdad y mentira, en busca de la autenticidad del ser mexicano y del hombre en general. Por todo ello, *El gesticulador* alcanza la universalidad y forma parte de las mejores obras del teatro universal. Guillermo Schmidhuber lo comprueba con razón:

> Con *El gesticulador,* el teatro mexicano alcanzó la hegemonía de los teatros nacionales, logrando que lo mexicano pudiera transubstanciarse en lo universal; al presentar el carácter del mexicano no únicamente como rasgo fundamental de un grupo étnico, sino también como una vivencia con validez para toda la humanidad[194].

Un periodo de crisis económica, social y política, tal como lo era la crisis de 1929 que alcanza México en plena adaptación revolucionaria es un tiempo crítico, y la actividad crítica

[191] *Infra,* pág. 165.
[192] *Íd.,* pág. 167.
[193] *Íd.,* pág. 169.
[194] Guillermo Schmidhuber, *op. cit.,* pág. 197.

nos sitúa siempre, como espectador, lector, autor, director, actor, en nuestras condiciones históricas, económicas, sociales y políticas. Un periodo de crisis, y cuanto más de crisis revolucionaria, invita a reflexionar sobre un estado social que confiesa sus flaquezas y sobre la ideología de la clase dominante. Pienso que, como ciudadanos y como artistas, la gente de teatro se vuelve a la vez hacia la sociedad y hacia la representación que dan de ella. La crisis de un teatro se injerta en una crisis de sociedad, y la crítica de cierto tipo de teatro es la crítica de cierto tipo de sociedad. Por ello, Usigli va de la comedia y la farsa impolíticas al drama y a la tragedia antihistóricos. «Antihistoria de lo inmediato» escribe Juan Tovar[195], porque a Usigli no le dan miedo los acontecimientos de la realidad inmediata, la proximidad de los sucesos no le impide recordarlos con imaginación, dando sentido dramático y trágico al pasado de la historia para representar el presente en su actualidad. Evidentemente, la sátira del medio político revolucionario y postrevolucionario mexicano ya lo evocó, para bien y para mal, la crítica sobre el teatro de Usigli, pero se olvidó muy a menudo, con excepción de Giuseppe Bellini en su *Teatro Messicano nel Novecento*[196], la humanidad y la sencillez de los personajes, los conflictos íntimos y el drama familiar que se desarrolla en el plano de la incomprensión, de la incomunicación creadas por el clima inauténtico del juego político. Una de las metáforas obsesionantes de Usigli es precisamente la desintegración y la destrucción de cierta imagen de la familia, familia privada y familia política. Así, *El gesticulador* rebasa el marco realista e intimista del melodrama para alcanzar el de la tragedia, una tragedia mexicana en la que los nuevos dioses de la doctrina «revolucionaria» arman el tinglado.

Del sueño de «¡la verdad!» que grita Miguel al final de la pieza, a la verdad que es un sueño para Harmodio en *Buenos días, señor presidente...* (1972), pasando por la fantasía impolítica de *Un día de éstos...* (1953), Usigli nos lleva de la esperanza a la de-

---

[195] Juan Tovar, «Antihistoria de lo inmediato: las comedias impólíticas de Rodolfo Usigli», *Biblioteca de México*, México, núm. 25, enero-febrero de 1995, pág. 57.

[196] Giuseppe Bellini, *Teatro messicano nel Novecento*, Milán, I. E. Cisalpino, 1959.

sesperanza, mostrando al espectador que el idealismo no puede vencer si la sociedad sigue en el mismo camino de la inautenticidad. Quizá, su grito más desesperado esté en la visión pesimista que nos da de los jóvenes que se dejan tragar por la corrupción del poder. Como continuación de *El gesticulador,* Usigli había planeado *Los herederos,* pieza empezada y nunca terminada, en la que el idealista Miguel, hijo de César Rubio, se vuelve otro gesticulador y su hermana Julia, la esposa de Navarro, el asesino de su padre. En 1961 lo comentaba de esta manera:

> En mi limbo particular esperan el dolor de nacer varias piezas. Entre ellas *Los herederos,* secuela de *El gesticulador,* que presenta a Miguel Rubio, senador y candidato a la gubernatura local; a Navarro, gobernador sin límite, y a Julia, esposa de Navarro. La acción se desarrolla en la época de los «técnicos». La relaté a Octavio Barreda, quien me señaló que la anécdota —inventada en todas sus piezas— podía tomarse por la biografía de un presidente. La relaté a Alfonso Reyes, quien, sobresaltado por la gesticulación en que debe fatalmente incurrir Miguel, «el pequeño Hamlet» de la verdad, me preguntó con aquella emocionada voz suya: «¿No ve Usted entonces esperanza para nosotros?». Le confesé que no, con toda sinceridad no la veía. El mito es una enredadera que ha crecido durante siglos sobre nuestro mapa[197].

Quizás aquella postura desesperanzada haya impregnado, con los acontecimientos del 68 además, la escritura de *Buenos días, señor presidente,* «moralidad en dos actos y un interludio según *La vida es sueño*», en la que los jóvenes Harmodio, Diosdado y Victoria, una vez llegados al poder, no pueden resistir a la corrupción, a la traición y a la violencia final.

En este sentido, dejaré la última palabra a Rodolfo Usigli que evoca un «teatro para caníbales» como escenario de la vida mexicana, porque México tiene el afán del sacrificio:

> Cuando un pueblo es tan redondo y completo en su afán destructor —literatura de clase media y demagogia aparte—

[197] Rodolfo Usigli, «El caso de *El Gesticulador*», *T. C.* III, ed. cit., pág. 566. Véase también, «*Un día de éstos:* prólogo», *T. C.* III, ed. cit., pág. 750.

¿vale la pena hacerle teatro? Quizá sí, porque lo que falta para llegar a la suprema indigestión de la que nacerá la luz estomacal, es que el mexicano se devore interiormente en vez de limitarse al aparato externo. Lo que yo, con mis enormes, insondables limitaciones, he pretendido realizar en toda mi carrera, por modesta o mediocre que sea, es un teatro para caníbales en el que el mexicano se devore a sí mismo por la risa, por la pasión o por la angustia, pero que siempre como la familia cene en casa[198].

[198] *Ibíd.*, pág. 756.

Esta edición

Esta edición parte de *El gesticulador,* pieza para demagogos en tres actos, tal como fue publicada por el Fondo de Cultura Económica en *Teatro completo de Rodolfo Usigli,* tomo I, México, FCE, 1963, colección Letras Mexicanas, págs. 727-802. He utilizado también, dos ediciones más recientes:

—Rodolfo Usigli, *El gesticulador,* México, edit. Novaro, 1973, 224 páginas (pieza para demagogos con un epílogo sobre la hipocresía del mexicano, doce notas y un ensayo sobre la actualidad de la poesía dramática y otros textos).
—Rodolfo Usigli, *El gesticulador / La mujer no hace milagros,* México, Editores Mexicanos Reunidos, 1985, págs. 21-138 (con una entrevista de Margarita García Flores en 1977).

Las notas explicativas se refieren a anclajes históricos y culturales y a aspectos léxicos (giros o modismos mexicanos).
En la bibliografía que trata de la obra dramática de Rodolfo Usigli, el orden cronológico que sigo se basa en las fechas de escritura, además aparecen las fechas de publicación, y en el caso de las obras representadas, el lugar y la fecha del estreno.

AGRADECIMIENTOS

Mi gratitud va a la memoria de Rodolfo Usigli y a la ayuda amistosa de sus herederos, Cordelia, Ana Lavinia, Leonardo y, muy particularmente, a la de Alejandro Usigli sin cuya voluntad esta edición no hubiera existido.

También vaya mi agradecimiento al CITRU (Centro de Investigación Teatral Rodolfo Usigli) de México y a mis amigos investigadores por la labor emprendida para rescatar la memoria de nuestro autor.

Y toda mi gratitud final a mi «cuate» el pintor Leopoldo Flores, creador y director del cosmovitral de Toluca, por su obra y su eterna amistad.

Bibliografía

OBRA DRAMÁTICA DE RODOLFO USIGLI

El apóstol, 1931.
— Suplemento de la revista *Resumen,* México, enero-febrero de 1931,
   XXXV-XXXVIII.
— *Teatro completo* I, México, Fondo de Cultura Económica, 1963,
   págs. 13-59 (Letras de México).
Falso drama, 1932.
— *Teatro completo* I, ed. cit., págs. 60-87.
4 Chemins 4, 1932.
— *Teatro completo* I, ed. cit., págs. 68-120.
Noche de estío, 1933-1935.
— *Teatro completo* I, ed. cit., págs. 170-276.
• México, Teatro Ideal, 6 de julio de 1950.
El presidente y el ideal, 1935.
— *Teatro completo* I, ed. cit., págs. 217-350.
Estado de secreto, 1935.
— *Teatro completo* I, ed. cit., págs. 351-403.
• Guadalajara, Teatro Degollado, 1936.
La última puerta, 1934-1936.
— *Hoy,* México, 1948.
— *Teatro completo* I, ed. cit., págs. 404-411.
• México, La compañía teatral del nuevo mundo, 1973 (dir. Ale-
   jandro Usigli).
Alcestes, 1936.
— *Teatro completo* I, ed. cit., págs. 121-169.

95

El niño y la niebla, 1936.
— «México en la Cultura», suplemento de *Novedades,* junio-julio de 1950, págs. 2-4.
— México, Imprenta Nuevo Mundo, 1951.
— *Teatro completo* I, ed. cit., págs. 442-492.
— *Boston,* ed. Rex Edward Ballinger, 1964.
• México Teatro del Caracol, 1951.
Medio tono, 1937.
— México, Ed. Dialéctica, 1938.
— *Teatro completo* I, ed. cit., págs. 493-564.
• México Palacio de Bellas Artes, noviembre de 1937.
Otra primavera, 1937-1938.
— *Teatro mexicano contemporáneo,* México, Sociedad General de Autores de México, 1947.
— *Otra primavera,* México, Helio, 1956.
— *Teatro completo* I, ed. cit., págs. 217-350.
• México, Teatro Virginia Fábregas, agosto de 1945.
Mientras amemos, 1937-1948.
— *Panoramas* I, México, 1956, págs. 7-81.
— *Teatro completo* I, ed. cit., págs. 565-618.
La mujer no hace milagros, 1938.
— México, Departamento de Divulgación de la Secretaría de Educación Pública, 1949.
— *Teatro completo* I, ed. cit., págs. 803-892.
— México, Editores Mexicanos Reunidos, 1999, págs. 139-278.
• México, Teatro Ideal, octubre de 1939.
Aguas estancadas, 1938.
— *México en la Cultura,* abril-mayo de 1952, págs. 2-4.
— *Teatro completo* I, ed. cit., págs. 619-674.
• México, Teatro Colón, enero de 1952.
El gesticulador, 1938.
— *El Hijo Pródigo:* acto I, mayo de 1943, págs. 103-116; acto II, junio de 1943, págs. 171-185; acto III, julio de 1943, págs. 236-251.
— México, Letras de México, 1944.
— México, Stylo, 1947.
— *Teatro mexicano del siglo* XX, A. M. Esquivel (ed.), México, FCE, 1956, t. 2, págs. 331-441.
— *Teatro mexicano contemporáneo,* A. Espina (ed.), Madrid, Aguilar, 1959, reeditada en 1968, págs. 183-273.

— *Teatro completo* I, ed. cit., págs. 727-802.

— México, Ed. Novaro, 1973.

— México, Editores Mexicanos Reunidos, 1990, págs. 11-138.

• México, Palacio de Bellas Artes, 17 de mayo de 1947.

La crítica de «La mujer no hace milagros», 1939.

— *Letras de México*, 1939.

— *Teatro completo* I, ed. cit., págs. 883-914.

Vacaciones I, 1940.

— *Antología de obras en un acto*, México, Ed. Maruxa Vilalta, 1960, III, págs. 55-93 (Teatro Mexicano).

— *Teatro completo* II, México, Fondo de Cultura Económica, 1966, págs. 22-47 (Letras de México).

• México, Teatro Rex, marzo de 1940.

Sueño de día, 1939.

— *Teatro completo* II, ed. cit., págs. 7-21.

• México, Teatro Radiofónico de la Secretaría de Educación Pública, abril de 1939.

La familia cena en casa, 1942.

— México, Sociedad General de Autores, 1942.

— *Teatro completo* II, ed. cit., págs. 69-146.

• México, Teatro Ideal, diciembre de 1942.

Dios, Batidillo y la mujer, 1943.

— *Teatro completo* II, ed. cit., págs. 223-225.

Corona de sombra, 1943.

— México, *Cuadernos Americanos*, XII, noviembre-diciembre de 1943, págs. 171-244.

— México, ed. Cuadernos Americanos, 1958.

— *Teatro completo* II, ed. cit., págs. 147-222.

— México, Porrúa, 1973 (Sepan cuántos, 237).

• México, Teatro Arbeu, abril de 1947.

Vacaciones II, 1945-1951.

— *Teatro completo* II, ed. cit., págs. 48-68.

— *Doce obras en un acto*, México, Ecuador 0° 0' 0", 1967, páginas 165-187.

La función de despedida, 1949.

— México, Talleres Gráficos de la Editorial Intercontinental, 1952.

— *Teatro completo* II, ed. cit., págs. 236-251.

• México, Teatro Ideal, 10 de abril de 1952.

97

Las madres, 1949-1960.
— *Teatro completo* II, ed. cit., págs. 631-737.
• México, Teatro Popular de México, enero-julio de 1973.
Los fugitivos, 1950.
— *Teatro completo* II, ed. cit., págs. 335-387.
• México, Teatro Arbeu, 22 de julio de 1950.
Jano es una muchacha, 1952.
— México, Imprenta Nuevo Mundo, 1952.
— *Teatro completo* II, ed. cit., págs. 388-459.
• México, Teatro Colón, 20 de junio de 1952.
Un día de éstos..., 1953.
— México, edit. Stylo, 1957.
— *Teatro completo* II, ed. cit., págs. 460-544.
• México, Teatro Esperanza Iris, 8 de enero de 1954.
La exposición, 1955-1959.
— *Cuadernos Americanos,* XVIII, mayo-junio de 1959, págs. 208-232.
— México, ed. Cuadernos Americanos, 1960.
— *Teatro completo* II, ed. cit., págs. 545-630.
La diadema, 1960.
— *Teatro completo* II, ed. cit., págs. 730-773.
Corona de fuego, 1960,
— *Teatro completo* II, ed. cit., págs. 774-840.
— México, Porrúa, 1973 (Sepan cuántos, 237).
• México, Teatro Xola, 15 de septiembre de 1961.
Un navío cargado de..., 1961.
— *Tres comedietas inéditas,* México, Ecuador 0° 0' 0", 1967, págs. 9-68.
— *Teatro completo* III, México, Fondo de Cultura Económica, 1979, págs. 7-50 (Letras de México).
El testamento y el viudo, 1962.
— *Tres comedietas inéditas,* ed. cit., págs. 69-100.
— *Teatro completo* III, ed. cit., págs. 50-71.
El encuentro, 1963.
— *Tres comedietas inéditas,* ed. cit., págs. 101-132.
— *Teatro completo* III, ed. cit., págs. 71-92.
Corona de luz, 1963.
— México, Fondo de Cultura Económica, 1965, pág. 225 (Colección Popular).
— *Teatro completo,* Porrúa, 1973 (Sepan cuántos).
• México, Teatro Hidalgo, 5 de enero de 1966.

Carta de amor, 1968.
— México, *Revista de la Universidad de México*, XXII, 1968, páginas 9-14.
— *Teatro completo* III, ed. cit., págs. 92-102.
El gran circo del mundo, 1968.
— *Cuadernos Americanos*, XXVIII, enero-febrero de 1969, págs. 95-96; marzo-abril de 1969, págs. 38-96.
— *Teatro completo* III, ed. cit., págs. 102-160.
Los viejos, 1970.
— *Teatro completo* III, ed. cit., págs. 160-198.
• Guanajuato, VII Festival Internacional Cervantino, 29 de abril de 1979.
Buenos días, señor presidente, 1972.
— México, Joaquín Mortiz, 1972 (Teatro del Volador).
— *Teatro completo* III, ed. cit., págs. 226-279.
El caso Flores, 1972.
— *Teatro completo* III, ed. cit., págs. 198-226.

OBRA POÉTICA, NARRATIVA Y CRÍTICA DE RODOLFO USIGLI

«Addenda después del estreno», *Jano es una muchacha*, México, 1952, ed. cit., págs. 165-194, y *Teatro completo* III, México, Fondo de Cultura Económica, 1979, págs. 718-743 (Letras de México).
«Advertencia», *El presidente y el ideal*, 1936, y *Teatro completo* III, ed. cit., págs. 417-424.
«Advertencia general», *Teatro completo* I, México, Fondo de Cultura Económica, 1963, págs. 9-11.
«Aficionados y Bufones», *El Universal Ilustrado*, México, agosto de 1937, págs. 5-12.
«Análisis, examen y juicio de *Buenos días, señor presidente*», *Teatro completo* III, ed. cit., págs. 820-844.
Anatomía del teatro,
— *El Nacional*, México, 6/4/47, pág. 6; 13/4/47, pág. 6; 20/4/47, pág. 20; 27/4/47, pág. 10; 11/5/47, pág. 6
— México, Ecuador 0° 0' 0", 1967.
«Antesala para *La última puerta*», *Teatro completo* III, ed. cit., págs. 426-434.
«A propósito de *Vacaciones I* y *II* y otros propósitos o despropósitos», *Teatro completo* III, ed. cit., págs. 597-606.

Caminos del teatro en México,
— México, Imprenta de la Secretaría de Relaciones Exteriores, 1933.
— *Teatro completo* IV, México, Fondo de Cultura Económica, 1996, págs. 237-268 (Letras de México).
«Carátula I», *La Exposición,* México, ed. Cuadernos Americanos, 1960, págs. 11-12.
«Carta a Fernando Soler», *El Universal,* 21/7/37, pág. 3; 22/7/37, págs. 13-14.
«Conferencias sin Drama», *Letras de México,* México, 1939, núm. 7, II, pág. 5.
Conversación desesperada, poemas, México, Cuadernos de México Nuevo, 1938.
Conversaciones y encuentros, México, OEN, 1973.
«Corona de fuego», *México en la Cultura,* México, 17/9/61, pág. 7.
«Los cuartetos de T. S. Eliot, "La poesía, arte impopular"», *El Hijo Pródigo,* II, México, noviembre de 1943, págs. 88-94.
«El destructor de ídolos», *Cuadernos Americanos,* LV, enero-febrero de 1951, págs. 180-210; LVIII, julio-agosto de 1951, págs. 251-276.
«Discurso por un teatro realista», *Medio tono,* México, Ed. Dialéctica, 1938, págs. 332-334, y *Teatro completo* III, ed. cit., págs. 439-447.
«Doce notas», 1947.
— *El gesticulador,* ed. cit., 1947, págs. 223-234.
— *El gesticulador,* ed. cit., 1973, págs. 141-162.
— *Teatro completo* III, ed. cit., págs. 478-495.
«Dos conversaciones con G. B. Shaw»,
— *Cuadernos Americanos,* XXX, noviembre-diciembre de 1946, págs. 246-279; XXXI, enero-febrero de 1947, págs. 227-250.
— *Conversaciones y encuentros,* México, OEN, 1973, págs. 11-65.
«El caso de *El gesticulador*», *Teatro completo* III, ed. cit., págs. 532-536.
Ensayo de un crimen (novela),
— México, Ed. América, 1944.
— México, Ed. Océano, 1987.
— México, Ed. V Siglo, 1980 (col. Terra Nostra).
«Ensayo sobre la actualidad de la poesía dramática»,
— *El gesticulador,* ed. cit., 1947, págs. 171-220.
— *El gesticulador,* ed. cit., 1973, págs. 111-162.
— *Teatro completo* III, ed. cit., págs. 452-478.
«Epílogo sobre la hipocresía del mexicano», *Teatro completo* III, ed. cit., págs. 452-478.

«Foreword», en Josefina Niggli, *Mexican Folk Plays*, Chapel Hill, University of North Carolina, 1938, págs. 15-20.

«From the mexican theatre», *Theatre Arts Monthly*, XIX, enero de 1935, págs. 65-66.

«Gaceta de clausura sobre *El gesticulador*», *Teatro completo* III, ed. cit., págs. 536-567.

«Gaceta sobre *Función de despedida*, *Teatro completo* III, ed. cit., páginas 644-651.

«El gran teatro del nuevo mundo», *Cuadernos Americanos*, II, marzo-abril de 1942, págs. 175-183, y *Teatro completo* III, ed. cit., págs. 651-684.

«Hope and curiosity: Experimental Theater», *Theatre Arts Monthly*, agosto de 1938, págs. 607-610.

«Imagen y prisma de México», *Teatro completo* IV, ed. cit., págs. 377-400.

«Interesante enigma literario», *México en la Cultura*, 6 de agosto de 1967, pág. 1.

Itinerario del autor dramático, México, La Casa de España, 1940.

«Introducción a *La familia cena en casa*», *Teatro completo* III, ed. cit., págs. 606-620.

«Juan Ruiz de Alarcón en el tiempo»,
— México, Secretaría de Educación Pública, 1967.
— *Revista de la Universidad de México*, XXI, 1967, núm. 12, págs. UI-UXVI.
— *Teatro completo* IV, ed. cit., págs. 269-312.

«Las madres o "Las madres y los hijos"», *Teatro completo* III, ed. cit., págs. 773-791.

«Leyenda singular», *Cuadernos Americanos*, LXIV, julio-agosto de 1967, págs. 293-288.

«Luto por Pedro Garfías», *México en la Cultura*, 27 de agosto de 1967, pág. 3.

«Manuel Eduardo de Gorostiza, hombre entre dos mundos», *Teatro completo* IV, ed. cit., págs. 345-376.

México en el teatro,
— México, Imprenta Mundial, 1932.
— *Teatro completo* IV, ed. cit., págs. 27-235.

«Mientras amemos y Aguas estancadas», *Teatro completo* III, ed. cit., págs. 447-452.

«Mis encuentros con Clifford Odets»,
— *Hispania*, XLVI, 1963, págs. 689-692.
— *Conversaciones y encuentros*, ed. cit., págs. 95-101.

101

«Nota marginal por Alcestes», *Teatro completo* III, ed. cit., págs. 298-303.

«Noticia sobre *Sueño de día*», *Teatro completo* III, ed. cit., págs. 595-597.

«Para alcanzar la universalidad precisamos ser mexicanos integrales», *México en la Cultura*, 18 de octubre de 1964, págs. 1-4.

«La pieza de la virgen», *México en la Cultura*, 19 de marzo de 1967, pág. 5.

«Poeta en libertad», *Cuadernos Americanos*, XLIX, enero-febrero de 1950, págs. 293-300.

«Position and problems of the contemporary mexican play-wright», *Proceeding of the Conference on Latinoamerican Fine Arts*, Austin, University of Texas, 1952, págs. 58-70.

«Presencia de Juárez en el Teatro Universal: una paradoja», *Teatro completo* IV, ed. cit., págs. 401-417.

«Primer ensayo hacia una tragedia mexicana», *Cuadernos Americanos*, II, julio-agosto de 1950, págs. 105-125.

«Primer prólogo»,
— *Corona de luz*, México, Fondo de Cultura Económica, 1965, págs. 9-66.
— *Corona de luz*, México, Porrúa, 1973, págs. 223-254.

«Primeros apuntes sobre el teatro»,
— *El Universal Ilustrado*, México, 10/9/1931, págs. 187-191; 24/9/1931, págs. 191-194; 1/10/1931, págs. 194-197; 22/10/1931, págs. 197-199; 5/11/1931, págs. 200-202.
— *México en el teatro*, ed. cit., págs. 187-200.

«Prólogo», *Jano es una muchacha*, ed. cit., págs. 13-44, y *Teatro completo* III, ed. cit., págs. 696-718.

«Prólogo a *Noche de estío*», «Una comedia shaviana: *Noche de estío*», *Teatro completo* III, ed. cit., págs. 303-417.

«Prólogo después de la obra»,
— *Corona de sombra*, México, ed. Cuadernos Americanos, 1947, págs. 228-231.
— *Corona de sombra*, México, Porrúa, 1973, págs. 59-75.
— *Teatro completo* III, ed. cit., págs. 620-640.

«Una protesta contra la comedia usigliana», *América*, Revista Antológica, 1949, núm. 60, págs. 53-78, y *Teatro completo* III, ed. cit., págs. 570-590.

«Segundo prólogo»,
— *Corona de luz*, ed. cit., 1965, págs. 76-104.
— *Corona de luz*, ed. cit., 1973, págs. 255-276.

«Sentido común y sentido del teatro», *México en la Cultura,* México, 23 de julio de 1950, pág. 3.

«Sonetos a Ramón López Velarde», *Armas y Letras,* XIII, Monterrey, 1956, pág. 7.

«El teatro de medianoche y la crítica», *El Universal Ilustrado,* México, 25 de marzo de 1940, págs. 3-10.

«El teatro de propaganda», *Panoramas,* III, México, enero-febrero de 1965, págs. 137-142.

«Teatro desnudo», *Ruta,* México, junio de 1938, págs. 51-52.

«El teatro en lucha», *Hoy,* México, 24 de julio de 1943, págs. 62-69; 25 de septiembre de 1943, págs. 62-66.

Tiempo y memoria en conversación desesperada, México, UNAM, 1981 (textos de Humanidades con introducción de José Emilio Pacheco).

«Tres comedias y una pieza a tientas, prólogo a tres comedias impolíticas», *Teatro completo* III, ed. cit., págs. 279-426.

«Las tres dimensiones del teatro», *México en la Cultura,* México, 30 de julio de 1950, pág. 3.

«Un día de éstos», *Teatro completo* III, ed. cit., págs. 745-773.

Voces, diario de trabajo (1932-1933), México, Seminario de Cultura Mexicana, 1967.

ESCRITOS CRÍTICOS SOBRE LA OBRA DE RODOLFO USIGLI

ACEVEDO ESCOBEDO, Antonio, *Medio siglo de teatro mexicano,* México, Instituto Nacional de Bellas Artes, 1965, págs. 75-78.

ANDERSON IMBERT, Enrique, «La unidad hispanoamericana y Rodolfo Usigli: tres notas sobre el teatro de Rodolfo Usigli», *Sur,* núm. 244, Buenos Aires, 1947, págs. 55-59.

ANÓNIMO, «Jano es una muchacha», *El Tiempo,* 4 de julio de 1952, págs. 51-52.

— «La familia cena en casa», *El Redondel,* 20 de diciembre de 1942, pág. 12.

— «La mujer no hace milagros», *El Redondel,* 22 de octubre de 1939, pág. 5.

— «Medio tono», *El Universal Ilustrado,* 15 de noviembre de 1937, pág. 9.

— «Problem Playwright», *Theatre Arts Monthly,* XXXVII, 1953, pág. 13.

— «Un día de éstos...», *México en la Cultura,* 17 de enero de 1954, pág. 2.

APSTEIN, Theodore, «New aspects of the theatre in Latin America», *Proceedings of the Conference on Latin American Fine Arts,* Austin, University of Texas, 1952.

ARGUDÍN, Yolanda, *Historia del teatro en México,* México, ed. Panoramas, 1985.

ARROM, José Juan, «Perfil del teatro contemporáneo en Hispanoamérica», *Hispania,* XXXVI, febrero de 1953, págs. 26-31.

AUB, Max, «Corona de sombra», *El Nacional,* México, 13 de abril de 1947, pág. 1.

— «Otra primavera», *El hijo pródigo,* México, septiembre de 1945, págs. 182-183.

BABER, Jerzy, «El Gesticulador en Polonia», *México en la Cultura,* México, 30 de junio de 1963, pág. 4.

BÁRCENAS, Ángel, *«Corona de luz»,* *El Nacional,* México, noviembre de 1965, pág. 15.

BASURTO, Luis, «Libertad moral en la obra de Rodolfo Usigli», *México en la Cultura,* México, agosto de 1952, págs. 5-6.

BECK, Vera F., «La fuerza motriz en la obra dramática de Rodolfo Usigli», *Revista Iberoamericana,* XVIII, Buenos Aires, septiembre de 1953, págs. 369-383.

BEARDSELL, Peter, «Insanity and poetic justice in Usigli's *Corona de sombra»,* *Latin American Theatre Review,* Kansas, Lawrence, otoño de 1976, págs. 5-14.

— «Usigli's political drama in perspective», *Bolletin of Hispanic Studies,* LXVI, Liverpool, 1989, págs. 251-269.

— *A theatre for cannibals. Rodolfo Usigli and the mexican stage,* Londres, Toronto, Associated University Press, 1992.

BELLINI, Giuseppe, *Teatro Messicano nel Novecento,* Milán, Instituto Editorale Cisalpino, 1959.

BERGAMÍN, José, «Cultura mexicana», *Hoy,* México, octubre de 1941, pág. 36.

CANTÓN, Wilberto, «Balance teatral, 1954», *Panorama del Teatro en México,* núm. 6, enero de 1955, págs. 5-12.

CARBALLIDO, Emilio, «La familia cena en casa», *El Universal,* México, enero de 1950, pág. 24.

CUCUEL, Madeleine, «Les recherches théâtrales au Mexique: 1923-1947», *Cahiers du CRIAR,* 127-7, Université de Rouen, 1987, págs. 7-57.

DAUSTER, Frank, «Hacia el teatro nuevo, un novel autor dramático», *Hispania,* XLI, Chapell Hill, 1958, págs. 170-172.

Di Puccio, Denise, «Metatheatrical histories in *Corona de luz*», *Latin American Theatre Review*, Kansas, Lawrence, otoño de 1986, páginas 29-35.

Flores Aguirre, Jesús, «El teatro humano de Rodolfo Usigli», *El Nacional*, México, agosto de 1955, págs. 4-12.

Fontanar, Héctor, «Hombres de México, Rodolfo Usigli, dramaturgo y poeta», *El Día*, julio de 1964, pág. 9.

Gates, Eunice J., «Usigli as seen in his prefaces and epilogues», *Hispania*, XXXVII, Chapel Hill, diciembre de 1954, páginas 432-439.

Gómez de la Vega, Alfredo, «Origins, Influences and Trends of Acting and Directing in the Mexican Theater», *Proceedings of the Conference on Latin-American Fine Arts*, Austin, University of Texas, 1952, págs. 42-57.

Gorostiza, Celestino, «Panorama del teatro en México», *Cuadernos Americanos*, XCVI, México, noviembre-diciembre de 1957, págs. 250-261.

Gregorio, Joaquín, «Traven y Usigli», *Revista de la Universidad de México*, VIII, México, 1954, págs. 15-16.

Guardia, Miguel, «El Teatro en México», *México en la Cultura*, México, julio de 1950, pág. 5.

— *«Función de despedida»*, *México en la Cultura*, México, abril de 1953, pág. 5.

— *«Jano es una muchacha»*, *ibíd.*, 1952, pág. 4.

— *«Noche de estío»*, *ibíd.*, 1952, pág. 4.

— «Una obra de Rodolfo Usigli», *Diorama de la cultura*, julio de 1964, pág. 3.

Ibargüengoitia, Jorge, *«El Gesticulador* de Rodolfo Usigli en el Teatro del Bosque», *Revista de la Universidad de México*, XV, 26 de marzo de 1961, pág. 12.

Jones, Willis Knapp, *Breve historia del teatro latinoamericano*, México, Manuales Studium, 1956.

— *Behind Spanish American Footlights*, Austin, University of Texas Press, 1966.

— *Spanish American Literature in Translation*, Nueva York, Ungar, 1963, 2 vols.

Kronik, John W., *«El Gesticulador* and the Fiction of Truth», *Latin American Theatre Review*, 11/1, Kansas, Lawrence, otoño de 1977, págs. 5-16.

LABINGER, Andrea G., «Age, alienation and the artist in Usigli's *Los viejos*», *Latin American Theatre Review,* 14/2, Kansas, Lawrence, primavera de 1981, págs. 41-49.

LAMB, Ruth, *Bibliografía del teatro mexicano,* México, De Andrea, 1962.

— «Celestino Gorostiza y el teatro experimental en México», *Revista Iberoamericana,* XXIII, Buenos Aires, 1958, págs. 141-145.

LAMB, Ruth y Magaña, ESQUIVEL, *Breve historia del teatro mexicano,* México, De Andrea, 1958.

LARSON, Catherine, «Language and meaning in Usigli's *El Gesticulador*», *Latin American Theatre Review,* Kansas, Lawrence, otoño de 1986, págs. 21-28.

LAYERA, Ramón, «Mecanismos de fabulación y mitificación de la historia en *"Las Comedias impolíticas"* y las *Coronas* de Rodolfo Usigli», *Latin American Theatre Review,* 18/2, Kansas, Lawrence, 1985, págs. 49-55.

— *Rodolfo Usigli. Latin American Writers,* Carlos A. Solé (ed.), Nueva York, Charles Scribner's sons, 1989 (3), págs. 1033-1042.

— *Usigli en el Teatro: Testimonios de sus contemporáneos, sucesores y discípulos,* México, CITRU/UNAM, 1996.

MAGAÑA ESQUIVEL, Antonio, *Medio siglo de teatro mexicano,* México, INBA, 1964.

— «El dramaturgo Rodolfo Usigli», *El Nacional,* México, octubre de 1951, pág. 17.

— *«El gesticulador»,* *Letras de México,* México, abril de 1944, pág. 6.

— «Imagen del Teatro», *Letras de México,* México, 1940, págs. 131-139.

— «Usigli en el Teatro», *Letras de México,* México, 1943, pág. 4.

MARCILESE, Mario, «Imagen epistolar de Rodolfo Usigli», *México en la Cultura,* México, agosto de 1964, págs. 1-8.

MARIA Y CAMPOS, Armando de, *Presencias en teatro (Crónicas 1934-36),* México, Ediciones Botas, 1937.

— *Crónicas de teatro de «Hoy»,* México, Ediciones Botas, 1941.

— *El programa en cien años de teatro en México,* México, Ediciones Mexicanas, 1950.

MARTÍNEZ, José Luis, «Un equívoco sobre Rodolfo Usigli», *México en la Cultura,* México, junio de 1952, pág. 7.

MÉDINA, Fernando, «La crisis y el teatro experimental en México», *Teatro,* núm. 3, Madrid, enero de 1953, pág. 32.

MENDOZA, María Luisa, «Algo sobre Rodolfo Usigli en persona», *Diorama de la Cultura,* México, septiembre de 1961, pág. 1.

MEYRAN, Daniel, «À propos de *El Gesticulador* de Rodolfo Usigli», *Bulletin de l'Institut d'Études Mexicaines*, núm. 11, Perpignan, enero de 1976, págs. 19-24.

—— «Contribución al estudio del teatro mexicano: aproximación a *El gesticulador*», *Comunidad*, núm. 58, México, noviembre de 1976, págs. 609-617.

—— «Les accultureurs: antialcoolisme, défanatisation et théâtre au Mexique (1929-1930)», *Caravelle*, núm. 28, Toulouse, noviembre de 1977, págs. 259-274 (escrito en colaboración con Jean Meyer y Louis Panabière).

—— «Converstion avec Rodolfo Usigli: l'aventure de "Teatro Popular"», 1973-1976, *Études Mexicaines*, núm. 1, Perpignan, IEM, 1978, págs. 81-96.

—— «Fonction idéologique de l'auteur dramatique dans le Mexique des années 1930-1950: le cas de Rodolfo Usigli», *Intellectuels et Etat au Mexique au XXᵉ siècle*, Toulouse, CNRS, 1979, págs. 125-143.

—— «Production théâtrale et Idéologie: Une saison théâtrale à México D. F. 1976 (Coûts et Financements)», *Études Mexicaines*, número 5, Perpignan, 1982, págs. 59-75.

—— «Luigi Pirandello et le théâtre mexicain contemporain 1930-1950: une aventure idéologique», *Cahiers du CRIAR*, núm. 7, Rouen, 1987, págs. 59-84.

—— *El discurso teatral de Rodolfo Usigli*, México, CITRU/IFAL, 1993.

—— *El teatro mexicano visto desde Europa*, Actas de las primeras jornadas internacionales sobre el teatro mexicano en Francia en 1993, Perpignan, Presses Universitaires de Perpignan, 1994 (en colaboración con Alejandro Ortiz).

—— «Rodolfo Usigli, lecteur d'Octavio Paz: poeta en libertad», *Cultures et sociétés des Andes et Méso-Amérique. Mélanges à Pierre Duviols*, vol. II, Aix-Marseille, PUP, 1991, págs. 591-599.

—— «De l'histoire au théâtre et du théâtre à l'histoire ou Maximilien et la construction du personnage historique dans *Corona de sombra* de Rodolfo Usigli», *La construction du personnage historique*, Lille, PUL, 1991, págs. 163-171.

—— «La historia no es ayer sino hoy, mañana, siempre... Le théâtre et le temps retrouvé», *Les Représentations du temps historique*, Lille, PUL, 1994, págs. 205-215.

—— «Critique et théâtralité: la critique du théâtre au théâtre chez Rodolfo Usigli», *Mélanges en hommage à Adrien Roig*, Lisboa, Arquivos do centro cultural portugues, Fundaçao Gulbenkian, 1992, págs. 1035-1048.

— «Rodolfo Usigli: el aislamiento como fuerza creadora», entrevista a Daniel Meyran, *Acotaciones*, México, CITRU, julio-diciembre de 1993, págs. 22-28.

— «Para una lectura semiótica del teatro de Rodolfo Usigli», *El texto Latinoamericano*, Madrid, Fundamentos, 1994, págs. 14-24.

— *Tres ensayos sobre teatro mexicano contemporáneo*, Roma, Bulzoni, 1996.

— «El teatro breve y la toma de conciencia de la mexicanidad: de Luis Quintanilla a Elena Garro», *América: formes brèves de l'expression culturelle en Amérique latine de 1850 à nos jours*, París, Presses de la Sorbonne Nouvelle, 1997, págs. 469-475.

— «L'influence italienne et les avant-gardes au Mexique», *Italie, Amérique latine: influences réciproques*, Roma, Bulzoni, 2001, páginas 245-255 (ed. Daniel Meyran).

MONTERDE, Francisco, «Autores del teatro mexicano, 1900-1950», *México en el Arte*, núms. 10-11, México, 1950, págs. 39-46.

— «Juárez, Maximiliano y Carlota en las obras de los dramaturgos mexicanos», *Cuadernos Americanos*, CXXXVI, México, septiembre-octubre de 1964, págs. 231-240.

— *Bibliografía del teatro de México*, México, Talleres Gráficos de la Nación, 1934 (con un prólogo de Rodolfo Usigli).

MONTOYA, María Tereza, *El teatro en mi vida*, México, Ediciones Botas, 1956.

NIGRO, Kirsten F., «Rhetoric and History in Three Mexicain Plays», *Latin American Theatre Review*, 21/1, Kansas, Lawrence, 1987, págs. 65-73.

NOMLAND, John B., *Teatro mexicano contemporáneo 1900-1950*, trad. de Paloma Gorostiza de Zozaya y Luis Reyes de la Maza, México, INBA, 1967.

PACHECO, José Emilio, «Muerte y resurrección de Rodolfo Usigli», *Proceso*, núm. 202, México, 1980, págs. 46-47.

— «Rodolfo Usigli: La indignación y el amor», *Los Universitarios*, núm. 190, México, UNAM, 1981, págs. 11-13; núm. 191, páginas 19-21.

PAZ, Octavio, *El laberinto de la soledad*, México, Fondo de Cultura Económica, col. Popular, 1972.

PETERSON DE VALERO, Carolyn, «Rodolfo Usigli, el hombre y su teatro», diss. Universidad Autónoma de México, 1968.

RAGLE, Gordon, «Rodolfo Usigli and his Mexican scene», *Hispania*, XLVI, Chapel Hill, 1963, págs. 307-311.

RÍO, Marcela de, *Rodolfo Usigli, ciudadano del mundo*, Memoria de los homenajes a Rodolfo Usigli, 1990 y 1991, México, INBA, 1992.

RODRÍGUEZ-SEDA, Asela, «¿Efebocracia o Gerontocracia? Las últimas obras de R. Usigli», *Latin American Theatre Review*, 8/1, Kansas, Lawrence, otoño de 1974, págs. 45-48.

RODRÍGUEZ, Roberto, «La función de la imaginación en *Las coronas* de R. Usigli», *Latin American Theatre Review*, Kansas, Lawrence, 1977, págs. 37-44.

ROJAS GARCIDUEÑAS, José, «El teatro actual en México», *Studium*, México, septiembre de 1950, págs. 2-3.

SAZ SÁNCHEZ, Agustín del, *Teatro hispanoamericano*, Barcelona, Vergara, 1963, págs. 84-102.

— *Teatro social hispanoamericano*, Barcelona, Labor, 1967, págs. 116-118.

SCHANZER, George O., «Usigli, Calderón and the Revolution», *Kentucky Romance Quarterly*, 4, 1971, págs. 13-20.

SCHMIDHUBER, Guillermo, «El teatro mexicano y la provincia», *Latin American Theatre Review*, 18/2, Kansas, Lawrence, 1985, págs. 23-27.

— *El advenimiento del teatro en México*, San Luis Potosí, Ed. Ponciano Arriaga, 1999.

— «*Los viejos* y la nueva dramaturgia mexicana», *Le théâtre mexicain contemporain*, Madeleine Cucuel (ed.), Université de Rouen, 1987, págs. 127-133.

— y HEIDRUN, Adler, «Theater in Mexico», en *Theater in Latein Amerika*, Berlín, Reimer, 1991, págs. 159-176.

SCHNEIDER, Luis Mario, *Fragua y gesta del teatro experimental en México*, México, UNAM, 1995.

— «El teatro de medianoche: un experimento inédito de Rodolfo Usigli», *Teatro y Poder*, Actes du IV Colloque International de Perpignan 1998, Perpignan, PUP-CRILAUP, 2002, págs. 535-541.

SHAW, Donald, «Dramatic Technique in Usigli's *El Gesticulador*», *Theatre Research International*, 1/2, 1976, págs. 115-133.

SOLÓRZANO, Carlos, «Itinerario de Rodolfo Usigli», *México en la Cultura*, México, noviembre de 1963, pág. 6.

— *Testimonios teatrales de México*, México, UNAM, 1973.

TILLES, Solomon, «Rodolfo Usigli's concept of dramatic art», *Latin American Theatre Review*, Kansas, Lawrence, 1970, págs. 31-38.

Tovar, Juan, «Antihistoria de lo inmediato: las *Comedias impólíticas* de Usigli», *Biblioteca de México*, núm. 25, México, 1995, págs. 57-58.

Varios, *Rodolfo Usigli, ciudadano del teatro*, memorias de los homenajes a Rodolfo Usigli 1990-1991, México, CITRU-INBA, 1992 (serie Memorias).

Vevia Romero, Fernando Carlos, *La sociedad mexicana en el teatro de Rodolfo Usigli*, Mexico, Universidad de Guadalajara, 1990.

Breve bibliografía sobre teatro latinoamericano

Azor, Ileana, *Origen y presencia del teatro en nuestra América*, La Habana, Letras Cubanas, 1988.

— *Variaciones sobre teatro latinoamericano*, La Habana, Editorial Pueblo y Educación, 1987.

Boudet, Rosa Ileana, «Veinticinco aniversario del Teatro en la Revolución», *Conjundo*, núm. 60, La Habana, abril-junio de 1984.

Dauster, Franck, *Ensayos sobre teatro hispanoamericano*, México, Secretaría de Educación Pública, col. Sep/Setentas, 208, 1975.

— *Historia del teatro hispanoamericano, siglos XIX y XX*, México, Ediciones de Andrea, col. Historia Literaria Hispanoamericano, 4, 1966.

Gálvez Acero, Marina, *El teatro hispanoamericano*, Madrid, Taurus, col. Historia de la Crítica de la Literatura Hispánica, 34, 1988.

Instituto Internacional de teoría y crítica del teatro latinoamericano, *Reflexiones sobre teatro latinoamericano en el siglo XX*, Buenos Aires, Editorial Galerna, 1989.

Le Théâtre latino-américain: tradition et innovation, Actes du Colloque International, organisé par le Centre de Recherches Latino-Américaines et Luso-Afro-Brésiliennes de l'Université de Provence, 7-9 de diciembre de 1989, Aix-en-Provence, 1991.

Le Théâtre sous la contrainte, Actes du Colloque International, organisé par le Centre de Recherches Latino-Américaines et Luso-Afro-Brésiliennes de l'Université de Provence, 4 y 5 de diciembre de 1985, Aix-en-Provence, 1989.

Luzuriaga, Gerardo, *Introducción a las teorías latinoamericanas del teatro*, Universidad Autónoma de Puebla, Maestría en Ciencias del Lenguaje, 1990.

Meléndez, Priscilla, *La dramaturgia hispanoamericana contemporánea: teatralidad y autoconciencia*, Madrid, Editorial Pliegos, s/d.

MEYRAN, Daniel, *Théâtre et Histoire, la conquête du Mexique et ses représenta-tions dans le théâtre mexicain contemporain, Marges,* 19, Perpignan, 1999.
— «La Diaspora latino-americaine comme phénomène de prise de conscience de l'existence d'une nation latino-américaine», *Les Réseaux des Diasporas,* Chipre/París, Kykem/L'Harmattan, 1996, págs. 249-260.
— «El espacio como ojo social: organización cultural y/o representación de lo imaginario sociohistórico», *Espacio, Historia e Imaginario,* Lille, Édit. Du Septentrion, 1996, págs. 213-220 (ed. J. Covo).
— «Teatro: Patrimonio, Interculturalidad y metaculturalidad», *Gestos,* núm. 24, Irvine, University of California, noviembre de 1997, págs. 45-56.
— «Teatro y Estado. Lenguaje y censura en el teatro mexicano contemporáneo: un caso de bloqueo semiótico», *Théâtre et Territoires: Espagne et Amérique Latine, 1950-1996,* núm. 75, Bordeaux, PUB, 1998, págs. 305-317.
— «Poder y Representación: las puestas en escena del imaginario social», *Los Poderes de la Imagen,* PUL, Lille, 1998, págs. 205-212.
— «Historia y Teatro, Teatralidad e Historicidad», *Marges,* 19, Perpignan, CRILAUP/PUP, 1999, págs. 9-19.
— «Teatrología y género teatral», *Imagen del teatro,* Buenos Aires, Galerna, 2002, págs. 50-60.
— ORTIZ, Alexandro y SUREDA, Francis, *Teatro, público, sociedad/Théâtre, public, société,* Actes du IIIᵉ Colloque International sur le Théâtre Hispanique, Hispano-Américain et Mexicain en France, organisé par le CRILAUP les 10, 11, et 12 oct. 1996, Presses Universitaires de Perpignan, col. Études, 1998.
— ORTIZ, Alejandro y SUREDA, Francis, *Teatro y Poder,* Actes du IV Colloque International sur le Théâtre Hispanique et Hispano-américain, Perpignan, 1998, CRILAUP/PUP, 2002.
NEGLIA, Erminio, *El hecho teatral en Hispanoamérica,* Roma, Bulzoni Editore, 1985.
OBREGÓN, Osvaldo, *Le théâtre Latino-américain en France (1958-1987),* núm. 4, Rennes, Cahiers du Lira, 2000 (ed. J. P. Sánchez).
— *Teatro Latinoamericano, un caleidoscopio cultural (1930-1990), Marges,* 20, CRILAUP/PUP, 2000 (ed. y prefacio de Daniel Meyran).
PERALES, Rosalina, *Teatro hispanoamericano contemporáneo (1967-1987),* vol. I, México, Grupo Editorial Gaceta, 1989, col. Escenología.

— *Teatro hispanoamericano contemporáneo (1967-1987)*, vol. II, México, Grupo Editorial Gaceta, 1993, col. Escenología.

PÉREZ COTERILLO, Moisés (ed.), *Escenarios de dos mundos. Inventario teatral de Iberoamérica*, Madrid, Centro de Documentación Teatral, 1989 (4 vols. + fotos).

PIANCA, Marina, *El teatro de nuestra América: un proyecto continental, 1959-1989*, Minneapolis, Institute of Ideologies and Literature, The University of Minnesota, 1990.

RIZK, Beatriz J., *El nuevo teatro latinoamericano: una lectura histórica*, Minneapolis, The Prisma Intitute, Institute for the the Study of Ideologies and Literature, series Toward a Social History of Hispanic and Luso-Brasilian Literatures, 1987.

TORO, Fernando de y ROSTER, Peter, *Bibliografía del teatro hispanoamericano contemporáneo (1900-1980)*, Francfort, Verlag Klaus Dieter Vervuert, Editionen der Iberoamericana Reiche 2, Bibliographische 3, 1985, 2 vols.

VILLEGAS, Juan, «El discurso dramático-teatral latinoamericano y el discurso crítico: algunas reflexiones estratégicas», *Latin American Theatre Review*, núm. 18/1, Kansas, Lawrence, otoño de 1985, págs. 5-12.

— *Para un modelo de historia de teatro, Gestos*, Irvine, col. Teoría 1, 1997.

WOODYARD, Georges, «The theatre of the absurd in spanish America», *Comparative Drama*, vol. III, núm. 3, 1969, págs. 186-192.

ZALACAÍN, Daniel, *Teatro absurdista hispanoamericano*, Valencia, Albatros Hispanófila, 1985.

El gesticulador

(Pieza para demagogos en tres actos)
—1938—

*Para Alfredo Gómez de la Vega[1],
que tan noble proyección escénica
y tan humana calidad supo dar
a la figura de César Rubio.*

---

[1] Alfredo Gómez de la Vega (1897-1958), actor estrella y director del departamento de teatro en el INBA entre 1946-1947. Le sucede en el cargo Salvador Novo.

PERSONAJES

EL PROFESOR CÉSAR RUBIO, 50 años
ELENA, *su esposa*, 45 años
MIGUEL, *su hijo*, 22 años
JULIA, *su hija*, 20 años
EL PROFESOR OLIVER BOLTON *(norteamericano con acento español)*, 30 años[2]
UN DESCONOCIDO (el general Navarro)
EPIGMENIO GUZMÁN, *presidente municipal*[3]
SALINAS, GARZA, TREVIÑO, *diputados locales*
EL LICENCIADO ESTRELLA, *delegado y orador del Partido*
EMETERIO ROCHA, *viejo*
LEÓN
SALAS
La multitud

Época: hoy

---

[2] Oliver Bolton remite a un personaje real, un verdadero historiador norteamericano. El apellido Bolton concuerda con el de un bibliófilo norteamericano, Herbert E. Bolton, profesor de historia en la Universidad de California. Es autor de *Guide to Material, for the History of the United States in the Principal Archive of México*, Washington, Carnegie, 1913. Véase Guillermo Schmidhuber, *El advenimiento del teatro en México*, San Luis Potosí, Ed. Ponciano Arriaga, 1999.

[3] Usigli cuenta la anécdota siguiente en «Gaceta de Clausura sobre *El Gesticulador*», T.C. III, pág. 566: «Muchos años después, en el Banco de Crédito Agrícola, mientras esperaba yo ser recibido, sentí pesar sobre mí, insistentemente, la mirada de un hombre alto y fuerte, vestido de negro, y tuve una premonición de quién era. Se acercó a mí al fin. «¿Usted es Usigli?» «Sí, señor». «Mire, durante mucho tiempo he tenido ganas de matarlo. ¿Sabe quién soy?» «Epigmenio Guzmán, sin duda». «Ese mismo. Pero la verdad es que quiero leer su obra, porque no la conozco. Y luego, ahora que ya somos internacionalmente famosos los dos, pues le perdono la vida». Epigmenio Guzmán, el célebre ex presidente municipal de Villa Gardel, recibió un ejemplar autografiado y unos días más tarde volvimos a encontrarnos y me contó lo que más lo había impresionado, que fue lo que más me impresionó a mí también: su padre fue muerto durante la Revolución por haberle salvado la vida a alguno de los grandes caudillos al interponerse con su caballo entre el jefe y las balas. Es decir, exactamente como murió el padre de *mi* Epigmenio, según se cuenta en la pieza».

116

Acto primero

Los Rubio aparecen dando los últimos toques al arreglo de la sala y el comedor de su casa, a la que han llegado el mismo día, procedentes de la capital[4]. El calor es intenso. Los hombres están en mangas de camisa. Todavía queda al centro de la escena un cajón que contiene libros. Los muebles son escasos y modestos: dos sillones y un sofá de tule[5], toscamente tallados a mano, hacen las veces de juego confortable, contrastando con algunas sillas vienesas, bastante despintadas, y una mecedora de bejuco. Dos terceras partes de la escena representan la sala, mientras la tercera parte, al fondo, está dedicada al comedor. La división entre las dos piezas consiste en una especie de galería: unos arcos con pilares descubiertos, hechos de madera; con excepción del arco central, que hace función de pasaje, los otros están cerrados hasta la altura de un metro por tablas pintadas de un azul pálido y floreado, que el tiempo ha desleído y las moscas han manchado. Demasiado pobre para tener mosaicos o cemento, la casa tiene un piso de tipichil[6], o cemento doméstico, cuya desigualdad presta una actitud —dijérase— inquietante a los muebles. El techo es de vigas. La sala tiene, en primer término izquierda, una puerta que comunica con el exterior; un poco más arriba hay una ventana amplia; al centro de la pared derecha, un

---

[4] Se trata de México D. F.
[5] Junco, planta que se cría en las orillas de lagos o ríos y que se utiliza para los asientos de las sillas.
[6] «Tipichil»: voz norteña india para designar el material utilizado como cemento compuesto de grava, arena y cal. Una especie de argamasa para la construcción de suelos y techos. Se suele encontrar también en Texas, en Estados Unidos. Debe proceder de la voz náhuatl *tepiztli:* materia dura, o *tepechtli:* suelo, cimiento.

117

arco conduce a la escalera que lleva a las recámaras. Al fondo de la escena, detrás de los arcos, es visible una ventana situada al centro; una puerta, al fondo derecha, lleva a la pequeña cocina, en la que se supone que hay una salida hacia el solar característico del Norte[7]. La casa es toda, visiblemente, una construcción de madera, sólida, pero no en muy buen estado. El aislamiento de su situación no permitió la tradicional fábrica de sillar; la modestia de los dueños, ni siquiera la fábrica de adobe, frecuente en las regiones menos populosas del Norte.

ELENA RUBIO, *mujer bajita, robusta, de unos cuarenta y cinco años, con un trapo amarrado a la cabeza a guisa de cofia, sacude las sillas, cerca de la ventana derecha, y las acomoda conforme termina;* JULIA, *muchacha alta, de silueta agradable aunque su rostro carece de atractivo, también con la cabeza cubierta, termina de arreglar el comedor. Al levantarse el telón puede vérsela de pie sobre una silla, colgando una lámina en la pared. La línea de su cuerpo se destaca con bastante vigor. No es propiamente la tradicional virgen provinciana, sino una mezcla curiosa de pudor y provocación, de represión y de fuego.* CÉSAR RUBIO *es moreno; su figura recuerda vagamente la de Emiliano Zapata[8] y, en general, la de los hombres y las modas de 1910[9], aunque vista impersonalmente y sin moda. Su hijo* MIGUEL *parece mas joven de lo que es; delgado y casi pequeño, es más bien un muchacho mal alimentado que fino. Está sentado sobre el cajón de los libros, enjugándose la frente.*

---

[7] Las referencias repetidas al Norte del país, al estado de Nuevo León, nos permiten anclar el espacio de la obra en Allende, cerca de Monterrey.

[8] Emiliano Zapata (1880-1919). General revolucionario que se alzó en Morelos en 1910; se apoyaba en las masas campesinas y proponía una reforma agraria. Para dar un contenido político a su lucha revolucionaria, Zapata, con la ayuda de Otilio Montaño, maestro rural anarquista, redactó el famoso «Plan de Ayala» el 25 de noviembre de 1911. Durante la «Convención de Aguascalientes», que empezó el 10 de octubre de 1914, la delegación zapatista dirigida por Antonio Díaz Soto y Gama consiguió que la convención adoptara el «Plan de Ayala», reconociendo así, por primera vez, los objetivos sociales, principalmente agrarios, de la revolución. Muere asesinado a traición y por orden del general Carranza en abril de 1919.

[9] 1910: esta fecha en las primeras didascalias, remitiendo a la manera de vestirse y comportarse, ancla la situación dramática en un referente histórico preciso: la Revolución mexicana que empieza en 1910 y que marca los últimos días del viejo dictador Porfirio Díaz (1876-1910). 1910 es la fecha de la crisis de Nicaragua, de las fiestas del centenario de la Independencia y, en noviembre, del alzamiento de Francisco I. Madero.

CÉSAR.—¿Estás cansado, Miguel?

MIGUEL.—El calor es insoportable.

CÉSAR.—Es el calor del Norte que, en realidad, me hacía falta en México. Verás qué bien se vive aquí.

JULIA.—*(Bajando.)* Lo dudo.

CÉSAR.—Sí, a ti no te ha gustado venir al pueblo.

JULIA.—A nadie le gusta ir a un desierto cuando tiene veinte años.

CÉSAR.—Hace veinticinco años era peor, y yo nací aquí y viví aquí. Ahora tenemos la carretera a un paso.

JULIA.—Sí... podré ver pasar los automóviles como las vacas miran pasar los trenes de ferrocarril. Será una diversión.

CÉSAR.—*(Mirándola fijamente.)* No me gusta que resientas tanto este viaje, que era necesario.

(ELENA *se acerca.*)

JULIA.—Pero, ¿por qué era necesario? Te lo puedo decir, papá. Porque tú no conseguiste hacer dinero en México.

MIGUEL.—Piensas demasiado en el dinero.

JULIA.—A cambio de lo poco que el dinero piensa en mí. Es como en el amor, cuando nada más uno de los dos quiere.

CÉSAR.—¿Qué sabes tú del amor?

JULIA.—Demasiado. Sé que no me quieren. Pero en este desierto hasta podré parecer bonita.

ELENA.—*(Acercándose a ella.)* No es la belleza lo único que hace acercarse a los hombres, Julia.

JULIA.—No... pero es lo único que no los hace alejarse.

ELENA.—De cualquier modo, no vamos a estar aquí toda la vida.

JULIA.—Claro que no, mamá. Vamos a estar toda la muerte. (CÉSAR *la mira pensativamente.*)

ELENA.—De nada te servía quedarte en México. Alejándote, en cambio, puedes conseguir que ese muchacho piense en ti.

JULIA.—Sí... con alivio, como en un dolor de muelas ya pasado. Ya no le doleré... y la extracción no le dolió tampoco.

MIGUEL.—*(Levantándose de la caja.)* Si decidimos quejarnos, creo que yo tengo mayores motivos que tú.

119

CÉSAR.—¿También tú has perdido algo para seguir a tu padre?

MIGUEL.—*(Volviéndose a otro lado y encogiéndose de hombros.)* Nada... una carrera.

CÉSAR.—¿No cuentas los años que perdiste en la Universidad?

MIGUEL.—*(Mirándolo.)* Son menos que los que tú has perdido en ella.

ELENA.—*(Con reproche.)* Miguel.

CÉSAR.—Déjalo que hable. Yo perdí todos esos años por mantener viva a mi familia... y por darte a ti una carrera... también un poco porque creía en la universidad como en un ideal. No te pido que lo comprendas, hijo mío, porque no podrías. Para ti la universidad no fue nunca más que una huelga permanente.

MIGUEL.—Y para ti una esclavitud eterna. Fueron los profesores como tú los que nos hicieron desear un cambio.

CÉSAR.—Claro, queríamos enseñar.

ELENA.—Nada te dio a ti la universidad, César, más que un sueldo que nunca nos ha alcanzado para vivir.

CÉSAR.—Todos se quejan, hasta tú. Tú misma me crees un fracasado, ¿verdad?

ELENA.—No digas eso.

CÉSAR.—Mira las caras de tus hijos: ellos están enteramente de acuerdo con mi fracaso. Me consideran como a un muerto. Y, sin embargo, no hay un solo hombre en México que sepa todo lo que yo sé de la revolución. Ahora se convencerán en la escuela, cuando mis sucesores demuestren su ignorancia.

MIGUEL.—¿Y de qué te ha servido saberlo? Hubiera sido mejor que supieras menos de revolución, como los generales, y fueras general. Así no hubiéramos tenido que venir aquí.

JULIA.—Así tendríamos dinero.

ELENA.—Miguel, hay que llevar arriba este cajón de libros.

MIGUEL.—Ahora ya hemos empezado a hablar, mamá, a decir la verdad. No trates de impedirlo. Más vale acabar de una vez. Ahora es la verdad la que nos dice, la que nos grita a nosotros... y no podemos evitarlo.

CÉSAR.—Sí, más vale que hablemos claro. No quiero ver a mi alrededor esas caras silenciosas que tenían en el tren, reprochándome el no ser general, el no ser bandido inclusive, a cambio de que tuviéramos dinero. No quiero que volvamos a estar como en los últimos días en México, rodeados de pausas. Déjalos que estallen y lo digan todo, porque también yo tengo mucho que decir, y lo diré.

ELENA.—Tú no tienes nada que decir ni que explicar a tus hijos, César. Ni debes tomar así lo que ellos digan: nunca han tenido nada... nunca han podido hacer nada.

MIGUEL.—Sí, pero ¿por qué? Porque nunca lo vimos a él poder nada, y porque él nunca tuvo nada. Cada quien sigue el ejemplo que tiene.

JULIA.—¿Por culpa nuestra hemos tenido que venir a este desierto? Te pregunto qué habíamos hecho nosotros, mamá.

CÉSAR.—Sí, ustedes quieren la capital; tienen miedo a vivir y a trabajar en un pueblo. No es culpa de ustedes, sino mía por haber ido allá también, y es culpa de todos los que antes que yo han creído que es allá donde se triunfa. Hasta los revolucionarios aseguran que las revoluciones sólo pueden ganarse en México.

Por eso vamos todos allá. Pero ahora yo he visto que no es cierto, y por eso he vuelto a mi pueblo.

MIGUEL.—No... lo que has visto es que tú no ganaste nada; pero hay otros que han tenido éxito.

CÉSAR.—¿Lo tuviste tú?

MIGUEL.—No me dejaste tiempo.

CÉSAR.—¿De qué? ¿De convertirte en un líder estudiantil? Tonto, no es eso lo que se necesita para triunfar.

MIGUEL.—Es cierto, tú has tenido más tiempo que yo.

JULIA.—Aquí, ni con un siglo de vida haremos nada. *(Se sienta con violencia.)*

CÉSAR.—¿Qué has perdido tú por venir conmigo, Julia?

JULIA.—La vista del hombre a quien quiero.

ELENA.—Eso era precisamente lo que te tenía enferma, hija.

CÉSAR.—*(En el centro, machacando un poco las palabras.)* Un profesor de universidad, con cuatro pesos diarios, que nunca pagaban a tiempo, en una universidad en descomposición, en la que nadie enseñaba ni nadie aprendía ya... una universidad sin clases. Un hijo que pasó seis años en huelgas, quemando cohetes y gritando, sin estudiar nunca. Una hija... *(Se detiene.)*

JULIA.—Una hija fea.

> *(ELENA se sienta cerca de ella y la acaricia en la cabeza. JULIA se aparta de mal modo.)*

CÉSAR.—Una hija enamorada de un fifí[10] de bailes que no la quiere. Esto era México para nosotros. Y porque se me ocurre que podemos salvarnos todos volviendo al pueblo donde nací, donde tenemos por lo menos una casa que es nuestra, parece que he cometido un crimen. Claramente les expliqué por qué quería venir aquí.

MIGUEL.—Eso es lo peor. Si hubiéramos tenido que ir a un lugar fértil, a un campo; pero todavía venimos aquí por una ilusión tuya, por una cosa inconfesable...

CÉSAR.—¿Inconfesable? No conoces el precio de las palabras. Va a haber elecciones en el Estado, y yo podría encontrar un acomodo. Conozco a todos los políticos que juegan... podré convencerlos de que funden una universidad, y quizá seré rector de ella.

ELENA.—Ninguno de ellos te conoce, César.

CÉSAR.—Alguno hay que fue condiscípulo mío.

ELENA.—¿Quién ha hecho nada por ti entre ellos?

CÉSAR.—No en balde he enseñado la historia de la revolución tantos años; no en balde he acumulado datos y documentos. Sé tantas cosas sobre todos ellos, que tendrán que ayudarme.

MIGUEL.—*(De espaldas al público.)* Eso es lo inconfesable.

CÉSAR.—*(Dándole una bofetada.)* ¿Qué puedes reprocharme tú a mí? ¿Qué derecho tienes a juzgarme?

MIGUEL.—*(Se vuelve lentamente hacia el frente conforme habla.)* El de la verdad. Quiero vivir la verdad porque estoy harto de apariencias. Siempre ha sido lo mismo. De chico, cuando no tenía zapatos, no podía salir a la calle, porque mi padre era

---

[10] Se dice de una persona demasiado preocupada por la moda y por la apariencia.

profesor de la universidad y qué irían a pensar los vecinos. Cuando llegaba tu santo, mamá, y venían invitados, las sillas y los cubiertos eran prestados todos, porque había que proteger la buena reputación de la familia de un profesor universitario... y lo que se bebía y se comía era fiado[11], pero ¡qué pensarían las gentes si no hubiera habido de beber y de comer!

ELENA.—Miguel, no tienes derecho a reprocharnos el ser pobres. Tu padre ha trabajado siempre para ti.

MIGUEL.—¡Pero si no es el ser pobres lo que les reprocho! ¡Si yo quería salir descalzo a jugar con los demás chicos! Es la apariencia, la mentira lo que me hace sentirme así. ¡Y, además, era cómico! ¡Era cómico porque no engañaban a nadie... ni a los invitados que iban a sentarse en sus propias sillas, a comer con sus propios cubiertos... ni al tendero que nos fiaba las mercancías! Todo el mundo lo sabía, y si no se reían de ustedes era porque ellos vivían igual y hacían lo mismo. ¡Pero era cómico! *(Se echa a llorar y se deja caer en uno de los sillones.)*

JULIA.—*(Levantándose.)* No sé qué puedes decir tú cuando yo pasé por cosas peores... siempre mal vestida... y siendo, además, como soy... fea.

ELENA.—*(Levantándose y yendo a ella.)* Hija, ¡no es cierto!

(Le toma la cabeza y la besa. Esta vez JULIA *se deja hacer.)*

CÉSAR.—*(Después de una pausa.)* Hay que subir esos libros, Miguel. (MIGUEL *se levanta, secándose los ojos, con gesto casi infantil, y entre los dos hombres levantan la caja.)* Déjanos pasar, Elena. (ELENA *se hace a un lado dejando libre el paso hacia la escalera. En ese momento llaman a la puerta.)* ¿Han tocado? *(Pequeño silencio durante el cual todos miran a la puerta. Nueva llamada.* CÉSAR *deja la caja en el suelo y contesta, mientras* MIGUEL *se aparta de la caja.)* ¿Quién es?

LA VOZ DE BOLTON.—*(Con un levísimo acento norteamericano.)* ¿Hay un teléfono aquí? He tenido un accidente.

(CÉSAR se dirige a la puerta y abre. Aparece en el marco el profesor OLIVER BOLTON, *de la Universidad de Harvard.*

---

[11] Pedido prestado.

Tiene treinta años y una agradable apariencia deportiva. Es de un rubio muy quemado por largos años de sol, y viste un ligero traje de verano.)

César.—Pase usted.

Bolton.—*(Entrando.)* Siento mucho molestar, pero hago mi primer viaje a su hermoso país en automóvil, y mi coche... descompuesto en la carretera. ¿Puedo telefonear?

César.—No tenemos teléfono aquí. Lo siento.

Bolton.—Oh, yo puedo reparar el coche *(sonríe)* pero está todo oscuro ahora. Tendría que esperar hasta mañana. ¿Hay un hotel cerca?

César.—No. No encontrará usted nada en varios kilómetros.

Bolton.—*(Sonriendo con vacilación.)* Entonces... odio imponerme a la gente... pero quizá podría pasar la noche aquí... si ustedes quieren, como en un hotel. Me permitirán pagar.

César.—*(Después de una pequeña pausa y un cambio de miradas con* Elena.*)* No será necesario, pero estamos recién instalados y no tenemos muebles suficientes.

Miguel.—Puede dormir en mi cama. Yo dormiré aquí. *(Señala el sofá de tule.)*

Bolton.—*(Sonriendo.)* Oh, no... mucha molestia. Yo dormiré aquí.

César.—No será ninguna molestia. Mi hijo le cederá su cama; nos arreglaremos.

Bolton.—¿Es seguro que no es molestia?

Miguel.—Seguro.

Bolton.—Gracias. Entonces traeré mi equipaje del coche.

César.—Acompáñalo, Miguel.

Bolton.—Gracias. Mi nombre es Oliver Bolton. *(Hace un saludo y sale;* Miguel *lo sigue.)*

Elena.—No debiste recibirlo en esa forma. No sabemos quién es.

César.—No; pero pensaría muy mal de México si la primera casa a donde llega le cerrara sus puertas.

Elena.—Eso lo enseñaría a no llegar a casas pobres. Yo no podría hacer esto, dormir en casa ajena.

César.—Parece decente, además.

ELENA.—Con los americanos nunca sabe uno: todos visten bien, todos visten igual, todos tienen autos. Para mí son como chinos; todos iguales. Voy a poner sábanas en la cama de Miguel. *(Sale por la puerta izquierda.)*

> *(JULIA, que se había sentado junto a la ventana, se levanta y se dirige hacia la misma puerta. CÉSAR, sin mirarla de frente, la llama a media voz.)*

CÉSAR.—Julia...

JULIA.—*(En la puerta, sin volverse.)* Mande.

CÉSAR.—Ven acá. *(Ella se acerca; él se sienta en el sofá.)* Siéntate, quiero hablar contigo.

JULIA.—*(Automática.)* No nos ha quedado mucho que decir, ¿verdad?

CÉSAR.—Julia, ¿no te arrepientes un poco de haber tratado con tanta dureza a tu padre?

JULIA.—Pregúntale a Miguel si él se arrepiente. Todo esto tenía que suceder algún día. Hoy es igual que mañana. Me arrepiento de haber nacido.

CÉSAR.—¡Hija! Sólo la juventud puede hablar así. Exageras porque te humillaría que tu tragedia no fuera grandiosa. Todo porque un muchacho sin cabeza no te ha querido. *(JULIA se vuelve a otro lado.)* Y bien, déjame decirte una cosa: no se fijó en ti, no te vio bien.

JULIA.—No hablemos más de eso. *(Con amargura.)* No hizo más que verme. Si no me hubiera visto...

CÉSAR.—Quiero que sepas que al venir aquí lo he hecho también pensando en ti, en ustedes...

JULIA.—Gracias...

CÉSAR.—Si crees que no comprendo que he fracasado en mi vida... si crees que me parece justo que ustedes paguen por mis fracasos, te equivocas. Yo también lo quiero todo para ti. Si crees que no saldremos de este lugar a algo mejor, te equivocas. Estoy dispuesto a todo para asegurar tu porvenir.

JULIA.—*(Levantándose.)* Gracias, papá. ¿Es eso todo...?

CÉSAR.—*(Deteniéndola por un brazo.)* Si crees que eres fea, te equivocas, Julia. Quizá no debería yo decirte esto... pero

125

(bajando mucho la voz) tienes un cuerpo admirable... eso es lo que importa. *(Se limpia la garganta.)*

JULIA.—*(Desasiéndose, lo mira.)* ¿Por qué me dices eso?

CÉSAR.—*(Mirándola a los ojos, lentamente.)* Porque no te conoces, porque no tienes conciencia de ti. Porqué soy el único hombre que hay aquí para decírtelo... Miguel no sabe... y aquel otro, imbécil, no se fijó en ti. *(Mira a otro lado.)* Tienes lo que los hombres buscamos, y eres inteligente.

JULIA.—*(Con voz blanca.)* Pareces otro de repente, papá.

CÉSAR.—A veces soy un hombre todavía. Serás feliz, Julia, te lo juro.

JULIA.—Me avergüenza guardarte rencor, padre, por haberme hecho nacer... pero lo que siento es algo contra mí, no contra ti... ¡Siento tanto no poder felicitarte por tener una hija bonita! A veces me asfixio, me siento como si no fuera yo más que una cara fea... *(CÉSAR la acaricia ligeramente)* monstruosa, sin cuerpo. Pero no te odio, créelo, ¡no te odio! *(Lo besa.)*

CÉSAR.—He pensado muchas veces, viéndote crecer, que pudiste ser la hija de un hombre ilustre, único en su tipo; pero ya ves: todo lo que sé no me ha servido de nada hasta ahora. Mi conocimiento me parece a menudo una podredumbre interior, porque no he podido crear nada con lo que sé... ni siquiera un libro.

JULIA.—Nos parecemos mucho, ¿verdad?

CÉSAR.—Quizá eso es lo que nos aleja, Julia.

JULIA.—*(Con un arrebato casi infantil, el primero.)* ¡Pero no nos alejará ya! ¡Te lo prometo! De cualquier modo, no quiero quedarme mucho tiempo aquí. Prométeme...

CÉSAR.—Te lo prometo... pero a tu vez prométeme tener paciencia, Julia.

JULIA.—Sí. *(Con una sonrisa amarga.)* Pero... ¿sabes por qué me siento tan mal aquí, como si llevara un siglo en esta casa? Porque todo esto es para mí como un espejo enorme en el que me estoy viendo siempre.

CÉSAR.—Tienes que olvidar esas ideas. Yo haré que las olvides.

(Se oye a ELENA bajar la escalera.)

La voz de Elena.—César, ¿crees que ya habrá cenado este gringo? *(Entra.)* No tenemos mucho, sabes.

César.—Habrá que ofrecerle. Qué diría si no... Mañana iremos al pueblo por provisiones, y yo averiguaré dónde está Navarro para ir a verlo y arreglar trabajo de una vez.

Elena.—¿Navarro?

César.—El general, según él. Es un bandido, pero es el posible candidato... el que tiene más probabilidades. No se acordará de mí; tendré que hacerle recordar... Esto es como volver a nacer, Elena, empezar de nuevo; pero en México empieza uno de nuevo todos los días.

Elena.—*(Moviendo la cabeza.)* Miguel tiene razón; si esto fuera campo, sería mucho mejor para todos. No tendrías que meterte en política.

César.—En México todo es política... la política es el clima, el aire.

Elena.—No sé. Creo que a pesar de todo habría preferido que siguieras en la universidad...

César.—¿Olvidas que en la última crisis me echaron?

Elena.—Quizá si hubieras esperado un poco, hablado con el nuevo rector, te habrían devuelto tu puesto.

César.—¿Cuatro pesos? La pobreza segura.

Elena.—Segura, tú lo has dicho.

Julia.—*(Con un estremecimiento.)* No... la pobreza no. Yo creo que es mejor, después de todo, que hayamos venido aquí. Es un cambio.

Elena.—Hace un momento te quejabas.

Julia.—Pero es un cambio.

César.—No sé por qué, pero tengo la seguridad de que algo va a ocurrir aquí.

Elena.—Voy a preparar la cena. Ojalá no te equivoques, César.

César.—¿Por qué no dices «de nuevo»?

Elena.—*(Tomándole la mano y oprimiéndosela con ternura.)* Siempre tienes esa idea. Es absurdo. Si fuera yo más joven, acabarías por influirme. *(Se desprende.)* Ayúdame, Julia.

(Las mujeres pasan al comedor y de allí a la cocina. César toma un libro del cajón, lo hojea, se encoge de hombros y vuelve a arrojarlo en él.)

César.—No quedó lugar donde poner mis libros, ¿verdad? *(Espera un momento la respuesta, que no viene.)* ¿No quedó lugar...?

(Se dirige al hablar hacia el comedor, cuando entran Miguel y Bolton llevando una maleta cada uno.)

Bolton.—Aquí estamos.

César.—¿Ha cenado usted, señor...?

Bolton.—Bolton, Oliver Bolton. *(Deja la maleta y mientras habla saca de su cartera una tarjeta que entrega a César.)* Tomé algo esta tarde en el camino, gracias. Odio molestar.

César.—*(Mirando la tarjeta.)* Un bocado no le caerá mal. Veo que es usted profesor de la Universidad de Harvard.

Bolton.—Oh, sí. De historia latinoamericana. *(Recogiendo su maleta.)* Voy a asearme un poco. ¿Usted permite?

Miguel.—Arriba hay un lavabo. Me adelanto para enseñarle el camino. *(Lo hace.)*

Bolton.—Gracias.

(Los dos salen. Se les oye subir la escalera. César mira y remira la tarjeta y teniéndola entre los dedos de la mano derecha golpea con ella su mano izquierda. Una sonrisa bastante peculiar se detiene por un momento en sus labios. Se guarda la tarjeta y empuja el cajón de libros hasta el comedor, en uno de cuyos rincones lo coloca. Mientras lo hace, Elena pasa de la cocina al comedor buscando unos platos.)

Elena.—Me pareció que me hablabas hace un momento.

César.—No.

Elena.—¿Has puesto los libros aquí? Estorbarán, y no quedó lugar para el librero, sabes.

César.—*(Después de una pequeña pausa.)* Eso era lo que quería preguntarte.

Elena.—Creí que te enojarías.

César.—Es curioso, Elena.

Elena.—¿Qué?

CÉSAR.—Este americano es profesor de historia, también... profesor de historia latinoamericana en su país.

ELENA.—*(Sonriendo.)* Entonces será pobre.

CÉSAR.—¿Otro reproche?

ELENA.—¡No! Ya sabes que yo no tomo en serio esas cosas que tanto atormentan a Julia y a ti. Se es pobre como se es morena... y yo nunca he tenido la idea de teñirme el pelo.

CÉSAR.—Es que crees que no haré dinero nunca.

ELENA.—No lo creo, *(con ternura)* lo sé, señor Rubio, y estoy tranquila. Por eso me da recelo que te metas en cosas de política.

CÉSAR.—No tendría yo que hacerlo si fuera profesor universitario en los Estados Unidos, si ganara lo que este gringo, que es bastante joven. (ELENA *se dirige sin contestar a la puerta de la cocina.)* Elena...

ELENA.—Tengo que ir a la cocina. ¿Qué quieres?

CÉSAR.—Estaba yo pensando que quizás... Ya sabes cuánto se interesan lo americanos por las cosas de México...

ELENA.—Si no se interesaran tanto sería mucho mejor.

CÉSAR.—Escucha. Estaba yo pensando que quizás este hombre pueda conseguirme algo allá... una clase de historia de la revolución mexicana. Sería magnífico.

ELENA.—Desde luego: podrías aprender inglés. Despierta, César, y déjame preparar la cena.

CÉSAR.—¿Por qué me lo echas todo abajo siempre?

ELENA.—Para que no te caigas tú. Me da miedo que te hagas ilusiones con esa velocidad... Siempre has estado enfermo de eso, y siempre he hecho lo que he podido por curarte.

CÉSAR.—¿Pero no te das cuenta? No hay un hombre en el mundo que conozca mi material como yo. Ellos lo apreciarían.

(ELENA *lo mira sonriendo y sale.* CÉSAR *vuelve a sacar la tarjeta de* BOLTON, *la mira y le da vueltas entre los dedos mientras pasa a la sala.* MIGUEL *regresa al mismo tiempo.)*

MIGUEL.—*(Seco.)* ¿Quieres que subamos los libros?

CÉSAR.—*(Abstraído en su sueño.)* ¿Qué?

MIGUEL.—Los libros. ¿Quieres que los subamos?

129

CÉSAR.—No..., después..., los he arrinconado en el comedor.

*(Se sienta y saca del bolsillo un paquete de cigarros de hoja y
lía uno metódicamente.)*

MIGUEL.—*(Acercándose un paso.)* Papá.

CÉSAR.—*(Encendiendo su cigarro.)* ¿Qué hay?

MIGUEL.—He reflexionado mientras acompañaba al americano y él hablaba.

CÉSAR.—*(Distraído.)* Habla notablemente bien el español, ¿te
has fijado que pronuncia la *ce?*

MIGUEL.—Probablemente no tenía yo derecho a decirte todas las cosas que te dije, y he decidido irme.

CÉSAR.—¿Adónde?

MIGUEL.—Quiero trabajar en alguna parte.

CÉSAR.—¿Te vas por arrepentimiento? (MIGUEL *no contesta.)*
¿Es por eso?

MIGUEL.—Creo que es lo mejor. Ves..., te he perdido el respeto.

CÉSAR.—Creí que no te habías dado cuenta.

MIGUEL.—Pero yo no puedo imponerte mis puntos de vista..., no puedo dirigir tu conducta.

CÉSAR.—Ah.

MIGUEL.—Reconozco tu libertad, déjame libre tú también.
Quiero dedicar mi tiempo a mi vida.

CÉSAR.—¿Cómo la dirigirás?

MIGUEL.—*(Obstinado.)* Después de lo que nos hemos dicho..., y me has pegado...

CÉSAR.—*(Mirando su mano.)* Hace mucho que no lo hacía.
Pero no es ésa tu única razón. Cuando nos vimos frente a
frente durante aquella huelga..., tú entre los estudiantes, yo
con el orden..., me dijiste cosas peores..., un discurso. Y sin
embargo, volviste a cenar a casa... muy tarde. Yo te esperé.
Me pediste perdón. No pensaste en irte...

MIGUEL.—Era otra situación. No quiero seguir viviendo en
la mentira.

CÉSAR.—En esta mentira; pero hay otras. ¿ya escogiste la
tuya? Antes era la indisciplina, la huelga.

MIGUEL.—Eso era por lo menos un impulso hacia la verdad.

CÉSAR.—Hacia lo que tú creías que era la verdad. Pero ¿qué frutos te ha dado hasta ahora?

MIGUEL.—No sé..., no me importa. No quiero vivir en tu mentira ya, en la que vas a cometer, sino en la mía. *(Violentamente, en un arrebato infantil de los característicos en él.)* Papá, si tú quisieras prometerme que no harás nada... *(Le echa un brazo al cuello.)*

CÉSAR.—Nada..., ¿de qué?

MIGUEL.—De lo que quieres hacer aquí con los políticos. Lo dijiste una vez en México y esta noche de nuevo.

CÉSAR.—No sé de qué hablas.

MIGUEL.—Sí lo sabes. Quieres usar lo que sabes de ellos para conseguir un buen empleo. Eso es... *(baja la voz)* chantaje.

CÉSAR.—*(Auténticamente avergonzado por un momento.)* No hables así.

MIGUEL.—*(Vehemente, apretando el brazo de su padre.)* Entonces dime que no harás nada de eso. ¡Dímelo! Yo te prometo trabajar, ayudarte en todo, cambiar...

CÉSAR.—*(Tomándole la barba como a un niño.)* Está bien, hijo.

MIGUEL.—*(Cálido.)* ¿Me lo juras?

CÉSAR.—Te prometo no hacer nada que no sea honrado.

MIGUEL.—Gracias, papá. *(Se aleja como para irse. Se vuelve de pronto y corre a él.)* Perdóname todo lo que dije antes. *(Se oye bajar a BOLTON.)*

CÉSAR.—*(Dándole la mano.)* Ve a asearte un poco para cenar.

BOLTON.—*(Entrando.)* ¿No interrumpo?

CÉSAR.—Pase usted, siéntese. (BOLTON *lo hace.)* ¿Un cigarro?

BOLTON.—¡Oh, de hoja! *(Ríe.)* No sé arreglarlos, gracias. *(Saca los suyos.)* Mucho calor, ¿eh? ¿Fuma usted? *(Ofreciendo la caja a* MIGUEL.)

MIGUEL.—No, gracias. Con permiso. *(Sale por la izquierda.)*

CÉSAR.—*(Dándole fuego.)* ¿De modo que usted enseña historia latinoamericana, profesor?

BOLTON.—Es mi pasión; pero me interesa especialmente la historia de México. Un país increíble, lleno de maravillas y

131

de monstruos. Si usted supiera qué poco se conocen las cosas de México en mi tierra *(pronuncia Mehico)*, sobre todo en el Este. Por esto he venido aquí.

CÉSAR.—¿A investigar?

BOLTON.—*(Satisfecho de explicarse y de entrar en su materia.)* Hay dos casos extraordinarios, muy interesantes para mí, en la historia contemporánea de México. Entonces, mi universidad me manda en busca de datos, y, además, tengo una beca para hacer un libro.

CÉSAR.—¿Puedo saber a qué casos se refiere usted?

BOLTON.—¿Por qué no? *(Ríe.)* Pero si usted sabe algo, se lo quitaré. Un caso es el de Ambrose Bierce[12], este americano que viene a México, que se une a Pancho Villa[13] y lo sigue un tiempo. Para mí, Bierce descubrió algo irregular, algo malo en Villa, y por esto Villa lo hizo matar. Una gran pérdida para los Estados Unidos. Hombre interesante. Bierce, gran escritor crítico. Escribió el *Devil's Dictionary*. Bueno, él tenía esta gran ilusión de Pancho Villa como justiciero; quizá sufrió un desengaño, y lo dijo: era un crítico. Y Villa era como los dioses de la guerra, que no quieren ser criticados..., y era un hombre, y tampoco los hombres quieren ser criticados, y lo mató.

CÉSAR.—Pero no hay ninguna certeza de eso. Ambrose Bierce llegó a México en noviembre de 1913; se reunió con las fuerzas de Villa en seguida, y desapareció a raíz de la batalla

---

[12] Ambrose Bierce (1842-1914?). En noviembre de 1913 sale de San Francisco para ir a México y reunirse con las fuerzas de Pancho Villa, tiene 71 años y es un intelectual, un escritor, veterano de la guerra de Secesión. No se conocen muy bien las circunstancias de su muerte: con las armas en las manos durante la toma de Zacatecas, el 23 de junio de 1914, o asesinado por el general Tomás Urbina porque no cesaba de burlarse del líder mexicano, Pancho Villa. Lo más probable es que muriera durante la batalla de Ojinaga el 11 de enero de 1914. Lo cierto es que sí desapareció sin dejar huella. Se le considera hoy como uno de los precursores del cuento norteamericano contemporáneo. Carlos Fuentes lo reencarna en su novela *Gringo viejo* en 1985 (FCE, México).

[13] Pancho Villa (1877-1923). Su verdadero nombre era Doroteo Arango; siendo muy joven se unió a Francisco Madero. En 1914 al lado del general Venustiano Carranza combatió a Victoriano Huerta. En 1915 se opuso a Carranza y controló los estados de Sonora, Chihuahua y Sinaloa. Murió asesinado en 1923.

de Ojinaga[14]. Fueron muchas las bajas; los muertos fueron enterrados apresuradamente, o abandonados y quemados después, sin identificar. Con toda probabilidad, Bierce fue uno de ellos. O bien, fue fusilado por Urbina[15], en 1915, cuando intentó pasarse al ejército constitucionalista. Pero Villa nada tuvo que ver en ello.

BOLTON.—Mi tesis es más romántica, quizás; pero Bierce no era hombre para desaparecer así, en batalla, por accidente. Para mí, fue deliberadamente destruido. Destruido es la palabra. Y no era un traidor. Sin embargo, usted parece bien enterado.

CÉSAR.—*(Con una sonrisa.)* Algo. Tengo algunos documentos sobre los extranjeros que acompañaron a Villa..., Santos Chocano[16], Ambrose Bierce, John Reed[17]...

BOLTON.—¿Es posible? ¡Oh, pero entonces usted me será utilísimo! Quizá sabe algo también sobre otro caso.

CÉSAR.—¿Cuál es el otro caso?

BOLTON.—El de un hombre extraordinario. Un general mexicano, joven, el más grande revolucionario que inició la revolución en el Norte, hizo comprender a Madero[18] la ne-

---

[14] Batalla de Ojinaga: una de las batallas más famosas de Pancho Villa. Ojinaga, «la perla del desierto», fue cuartel general de varios generales federales y revolucionarios entre 1910 y 1917. Pancho Villa tomó la ciudad en dos ocasiones diferentes. La más famosa fue la del 11 de enero de 1914 cuando echó fuera de México a uno de los mayores ejércitos federales, el del general Mercado, después de la batalla de Ojinaga.

[15] General Tomás Urbina compañero de Emiliano Zapata y Pancho Villa.

[16] José Santos Chocano (1875-1934). Poeta modernista peruano. Amigo y consejero de Pancho Villa, lo acompañó durante la Revolución mexicana y le dedicó su poema «Última rebelión». Sus *Obras completas* se publicaron en Madrid, en la editorial Aguilar en 1954, edición a cargo de Luis Alberto Sánchez.

[17] John Reed (1880-1920). Periodista norteamericano revolucionario. Siguió a Pancho Villa durante la Revolución, escribiendo artículos que han sido recopilados en *México insurgente* (1914). Escribió luego artículos sobre la Revolución rusa y su crónica se publicó bajo el título *Diez días que estremecieron al mundo*.

[18] Francisco I. Madero (1873-1913). Heredero de una poderosa familia de terratenientes y de industriales del norte del país, era representante de cierta burguesía nacional, largo tiempo sostén del régimen de Porfirio Díaz pero frenado en sus ambiciones. Madero se interesó por los clubes liberales y por el Partido Liberal Mexicano de los hermanos Flores Magón, pero se aleja de él

cesidad de una revolución, dominó a Villa. A los veintitrés años era general. Y también desapareció una noche..., destruido como Ambrose Bierce.

CÉSAR.—*(Pausadamente.)* ¿Se refiere usted a César Rubio?

BOLTON.—¡Oh, pero usted sabe! Si yo pudiera encontrar documentos sobre él, los pagaría muy caros; mi universidad me respalda. Porque todos creen hasta hoy, que César Rubio es una... saga, un mito.

CÉSAR.—*(Echando la cabeza hacia atrás, con el gesto de recordar.)* General a los veintitrés años, y el más extraordinario de todos, es cierto. Pocas gentes saben que se levantó en armas precisamente a raíz de la entrevista Creelman-Díaz, el 5 de septiembre de 1908[19]. Se levantó aquí, en el Norte, y se dirigió a Monterrey con cien hombres. En Hidalgo..., mientras el general Díaz y cada gobernador repetían el grito de independencia[20], un destacamento federal barrió a todos

---

cuando sus líderes lo radicalizan. Sus preocupaciones políticas ante todo lo empujaban a reivindicar los principios democráticos, pero en el respeto absoluto de la legalidad y del orden. El encuentro Creelman-Díaz, la cercanía de las elecciones de 1910 son datos que lo hacen reaccionar como muchos otros y en 1909 publica en México, en las ediciones Selectas, *La sucesión presidencial en 1910*, libro que conoce gran éxito y que le permite asentar su porvenir político. En mayo de 1909 crea un «Partido antirreeleccionista» y se presenta como candidato a la presidencia. Madero, encarcelado por el gobierno durante la campaña, liberado después, huye a San Luis Potosí, luego a Texas. En junio de 1910, Porfirio Díaz una vez más es reelegido para la presidencia de la República. Madero lanza el 5 de octubre, desde el exilio, un plan llamado de San Luis Potosí, en el que denunciaba la ilegitimidad del gobierno y llamaba a los mexicanos demócratas a sublevarse contra el régimen el 20 de noviembre. Es un fracaso. Pero la Revolución estaba en marcha. Orozco y Villa en el norte (Chihuahua, Durango, Coahuila), y Zapata en el centro (Morelos) se sublevan. En mayo de 1911, Orozco y Villa toman Ciudad Juárez; Zapata avanza hacia Cuautla y Cuernavaca, camino a la capital. El 25 de mayo de 1911, Díaz y Madero firman los acuerdos de Ciudad Juárez. El 7 de junio de 1911, Madero entra en Ciudad de México; en noviembre es elegido presidente hasta su asesinato el 22 de febrero de 1913 con su vicepresidente Pino Suárez.

[19] El 5 de septiembre de 1908, el presidente Porfirio Díaz (1830-1915) concede una entrevista al periodista norteamericano Henry Creelman en la que, sorprendentemente, Porfirio Díaz declara al periodista su intención de renunciar y su voluntad de ver la creación de un partido independiente. Se publicó la entrevista en el diario *El Imparcial* en México así como en otros periódicos del país.

[20] Alusión a las fiestas previstas para el Centenario de la Independencia y del Grito de Dolores (1810-1910).

los hombres de César Rubio. Sólo él y dos compañeros suyos quedaron con vida.

BOLTON.—*(Anhelante.)* Sí, sí.

CÉSAR.—César fue entonces a Piedras Negras, donde entrevistó a don Pancho Madero y le convenció de la necesidad de un cambio, de una revolución. Madero se decidió entonces, y sólo entonces, a publicar *La sucesión presidencial*[21]. Mientras en todo el país se celebraban las fiestas del Centenario, Rubio sostuvo las primeras batallas, recorrió toda la República, puso en movimiento a Madero, agitó a algunos diputados y preparó las jornadas de noviembre[22]. No hubo un solo disfraz que no usara, una sola acción que no acometiera, aunque lo perseguía toda la policía porfirista.

BOLTON.—*(Excitadísimo.)* ¿Está usted seguro? ¿Tiene documentos?

CÉSAR.—Tengo documentos

BOLTON.—Pero entonces, esto es maravilloso... usted sabe más que ningún historiador mexicano.

CÉSAR.—*(Con una sonrisa extraña.)* Tengo mis motivos.

(Entra ELENA *de la cocina, y aunque sin escuchar ostensiblemente, sigue la conversación a la vez que sale y regresa, disponiendo la mesa para la cena.* CÉSAR *se vuelve con molestia para ver quién ha entrado.)*

BOLTON.—Pero lo más interesante de Rubio no es esto.

CÉSAR.—¿Se refiere usted a su crítica del gobierno de Madero?

---

[21] *La sucesión presidencial en 1910,* libro de Francisco Madero, publicado en 1909. Véase nota 18.

[22] La insurrección general estaba prevista para el 20 de noviembre de 1910 pero fracasó: en Puebla, Aquiles Serdán y su familia, traicionados, son exterminados, pero rápidamente el movimiento de insurrección armada se propaga en el norte del país (Chihuahua, Durango, Coahuila) y en el centro (Morelos). Villa en Chihuahua, Maytorena en Sonora, Eulalio y Luis Gutiérrez en Coahuila; en Guerrero los Figueroa; en Morelos, Zapata; en Zacatecas, Luis Moya.

BOLTON.—No, no; eso, como el levantamiento contra Huerta[23], como sus... *(busca la palabra)* sus disensiones con Carranza[24], Villa y Zapata pertenecen a su fuerte carácter.

CÉSAR.—¿A qué se refiere usted entonces? (ELENA *sale.*)

BOLTON.—A su desaparición misma, a su destrucción..., una cosa tan fuera de su carácter, que no puede explicarse. ¿Por qué desapareció este hombre en un momento tan decisivo de la revolución, para dejar el control a Carranza? No creo que haya muerto; pero si murió, ¿cómo, por qué murió?

CÉSAR.—*(Soñador.)* Sí, fue el momento decisivo, ¿verdad...? una noche de noviembre de 1914.

BOLTON.—¿Sabe usted algo sobre eso? Dígamelo, deme documentos. Mi universidad los pagará bien. *(Vuelve* ELENA, CÉSAR *la ve.)*

CÉSAR.—*(Despertando.)* Su universidad... Hace poco hablaba yo a mi esposa de las universidades de ustedes... Son grandes.

BOLTON.—¡Oh! Fuera de Harvard, usted sabe..., distinguidas quizá, pero jóvenes, demasiado jóvenes. Pero hábleme más de este asunto. (CÉSAR *se vuelve a mirar hacia* ELENA, *que en este momento permanece de espaldas pero en toda apariencia sin hacer nada que le impida escuchar.)* No tenga usted recelo a darme informes. Mi universidad tiene mucho dinero para invertir en esto.

CÉSAR.—Una noche de noviembre de 1914... pronto hará veinticuatro años. *(Vuelve a mirar hacia* ELENA, *que dispone la mesa.)* ¿Por qué tiene usted tanto interés en esto?

---

[23] General Victoriano Huerta (1844-1916). Militar y estadista mexicano. De origen indio huichol, detestaba a Estados Unidos, tanto como admiraba a Japón y a Alemania. Armó la contrarrevolución contra Madero desde febrero de 1913, durante aquellos diez días llamados «La decena trágica». Nombrado presidente provisional de la República después del «Pacto de la Embajada» (acuerdo entre Huerta y Félix Díaz firmado en la embajada de Estados Unidos en México que destituía a Madero), Victoriano Huerta encarcelaba a Madero y a Pino Suárez y los mandaba asesinar unos días más tarde. Permaneció en el poder hasta agosto de 1914.

[24] General Venustiano Carranza (1860-1920). Presidente de la República mexicana en 1917, padre del «Plan de Guadalupe» del 26 de marzo de 1913 en el que llamaba a echar fuera del poder a Victoriano Huerta y a restablecer el orden constitucional y entonces padre del constitucionalismo; muere asesinado en 1920.

BOLTON.—Personalmente tengo más que interés... entusiasmo por México, una pasión; pero ningún hombre en México me ha interesado como este César Rubio. *(Ríe.)* He acabado por contagiar a toda mi universidad del entusiasmo por este héroe. (ELENA *sale y regresa en seguida, fingiéndose atareada.)*

CÉSAR.—*(Observando a* ELENA *mientras habla.)* ¿Y por qué este héroe y no otro más... convencional, como Villa, o Madero o Zapata? Ustedes los americanos admiran mucho a Villa desde que hizo andar a Pershing a salto de mata[25].

BOLTON.—*(Sonriendo.)* Pero, ¿no comprende usted, que sabe tanto de César Rubio? Él es el hombre que explica la revolución mexicana, que tiene un concepto total de la revolución y que no la hace por cuestión del gobierno, como unos, ni para el Sur, como otros, ni para satisfacer una pasión destructiva. Es el único caudillo que no es político, ni un simple militarista, ni una fuerza ciega de la naturaleza..., y sin embargo (ELENA *sale)* manda a los políticos, somete a los bandidos, es un gran militar... Pacifista si puedo decir así.

CÉSAR.—Decía usted que su universidad tiene mucho dinero... ¿Cuánto, por ejemplo?

BOLTON.—*(Un poco desconcertado por lo directo de la pregunta.)* No sé. A mí me han dado una suma para mi trabajo de búsqueda, pero podría consultar... si viera los documentos.

(JULIA *entra a la cocina, cruza y se dirige a la puerta izquierda, saliendo.* CESAR *la sigue con la vista, sin dejar de hablar, hasta que desaparece.)*

CÉSAR.—Parece que desconfía usted.

BOLTON.—No soy yo quien puede comprar, es Harvard.

CÉSAR.—*(Dudando.)* Ustedes lo compran todo.

BOLTON.—*(Sonriendo.)* ¿Por qué no, si es para la cultura?

---

[25] Después del ataque de Pancho Villa contra Columbus, pequeña ciudad cerca de la frontera mexicana, Estados Unidos mandó una expedición «punitiva» de 12.000 soldados bajo el mando del general Pershing. A pesar de las protestas de Carranza, Pershing siguió su «punitiva» buscando en vano a Villa por todos los territorios del Norte, sin encontrarlo.

CÉSAR.—Los códices, los manuscritos, los incunables, las joyas arqueológicas de México; comprarían a Tasco[26], si pudieran llevárselo a su casa. Ahora le toca el turno a la verdad sobre César Rubio.

BOLTON.—*(Ante lo inesperado del ataque.)* No entiendo. ¿Está usted ofendido? Hace un momento parecía comunicativo.

CÉSAR.—También a mí me apasiona el tema. Pero todo lo que poseo es la verdad sobre César Rubio..., y no podría darla por poco dinero... ni sin ciertas condiciones.

BOLTON.—Yo haré lo posible por hacer frente a ellas.

CÉSAR.—*(Desilusionado.)* Ya sabía yo que regatearía usted.

BOLTON.—Perdón, es una expresión inglesa..., hacer frente a sus condiciones, es decir... *(buscando)*, ¡oh!, satisfacerlas.

CÉSAR.—Eso es diferente *(reenciende su cigarro de hoja.)* Pero, ¿tiene usted una idea de la suma?

BOLTON.—*(Incómodo: esta actitud en un mexicano es inesperada.)* No sé bien. Dos mil dólares..., tres mil tal vez...

CÉSAR.—*(Levantándose.)* Se me figura que tendrá usted que buscar sus informes en otra parte..., y que no los encontrará.

BOLTON.—Oh, siento mucho. *(Se levanta.)* Si es una cuestión de dinero podrá arreglarse. La universidad está interesada..., yo estoy... apasionado, le digo. ¿Por qué no dice usted una cifra? *(ELENA entra de la cocina.)*

CÉSAR.—Yo diría una. *(Mirando hacia ELENA y bajando la voz, con cierta impaciencia.)* Yo diría diez.

BOLTON.—*(Arqueando las cejas.)* ¡Oh, oh! Es mucho. *(Con sincero desaliento.)* Temo que no aceptarán pagar tanto.

CÉSAR.—*(Haciendo seña de salir a ELENA, que lo mira.)* Entonces lo dejaremos allí, señor... *(Busca la tarjeta del norteamericano en las bolsas de su pantalón, la encuentra, la mira)* señor Bolton. *(Juega con la tarjeta.)*

BOLTON.—Sin embargo, yo puedo intentar..., intentaré...

---

[26] Ciudad del estado de Guerrero que fue fundada en 1528 con la intención de explotar las minas de plata y cobre que abundaban en el lugar. Actualmente, esta ciudad colonial integra el «Triángulo del Sol» con Acapulco e Ixtapa Zihuatanejo. Lo importante de esta región es el trabajo de la plata y su riqueza arquitectónica.

César.—Una noche de noviembre de 1914, señor Bolton —la noche del 17 de noviembre, para ser preciso—, César Rubio atravesaba con su asistente y dos ayudantes un paso de la sierra de Nuevo León para dirigirse a Monterrey y de allí a México, donde tenía cita con Carranza. Había mandado por delante un destacamento explorador, y a varios kilómetros lo seguía el grueso de sus fuerzas. En ese momento, Rubio tenía el contingente mejor organizado y más numeroso, y todos los triunfos en la mano. Era el hombre de la situación. Sin embargo, su ejército no lo alcanzó nunca, aunque siguió adelante esperando encontrarlo. Cuando se reunió con el destacamento explorador en San Luis Potosí diez días después, la oficialidad se enteró de que su jefe había desaparecido. Con él desaparecieron sus dos ayudantes, uno de los cuales era su favorito, y su asistente.

Bolton.—Pero ¿qué pasó con él?

César.—Eso es lo que vale diez mil dólares.

Bolton.—*(Excitado.)* Yo le ofrezco a usted completar esa suma con el dinero de mi beca, con una parte de mis ahorros, si la universidad paga más de seis. ¿Tiene usted confianza?

César.—Sí.

Bolton.—¿Tiene usted documentos?

César.—*(Después de una breve duda.)* Sí.

Bolton.—Entonces dígame...; me quemo por saber...

César.—En un punto que puedo enseñarle, el ayudante favorito de César Rubio disparó tres veces sobre él y una sobre el asistente, que quedó ciego.

Bolton.—¿Y que pasó con el otro ayudante? Usted dijo dos.

César.—*(Vivamente.)* No...; uno, su ayudante favorito. Rubio, antes de morir, alcanzó a matarlo...; era el capitán Solís.

Bolton.—Pero usted decía que el ejército no se reunió nunca con César Rubio. Si seguía el mismo camino, tuvo que encontrar los cuerpos. Y se sabe que el cuerpo de él no apareció nunca; no sé los otros.

César.—Cuando usted vea el lugar, comprenderá. Rubio se desvió del camino sin darse cuenta, conversando con el ayudante. Más bien, el ayudante se encargó de desviarlo. Seguían marchando hacia Monterrey, pero no en línea recta. Se apartaron cuando menos un kilómetro hacia los montes.

BOLTON.—Pero ¿quien ordenó este crimen?

CÉSAR.—Todo... las circunstancias, los caudillos que se odia-
ban y procuraban exterminarse entre sí... y que se asociaron
contra él.

BOLTON.—¿Y los cuerpos, entonces?

CÉSAR.—Los cuerpos se pudrieron en el sitio en una oque-
dad de la falda de un cerro.

BOLTON.—¿El asistente?

CÉSAR.—Escapó, ciego. Él registró los cadáveres cuando su
dolor físico se lo permitió...; él me contó a mí la historia.

BOLTON.—¿Y qué documentos tiene usted?

CÉSAR.—Tengo actas municipales acerca de sus asaltos, informes de sus escaramuzas y combates, versiones taquigráficas
de algunas de sus entrevistas...; una de ellas con Madero,
otra con Carranza. El capitán Solís era un buen taquígrafo.

BOLTON.—No, no. Quiero decir..., ¿qué pruebas de su
muerte?

CÉSAR.—Los papeles de identificación de César Rubio..., un
telegrama manchado con su sangre, por el que Carranza lo
citaba en México para diciembre.

BOLTON.—¿Nada más?

CÉSAR.—Solís tenía también un telegrama en clave, que he
logrado descifrar, donde le ofrecían un ascenso y dinero si
pasaba algo que no se menciona..., pero sin firma.

BOLTON.—¿Eso es todo lo que tiene? *(Súbitamente desconfia-
do.)* ¿Por qué está usted tan íntimamente enterado de estas
cosas?

CÉSAR.—El asistente ciego me lo dijo todo.

BOLTON.—No...; digo todas estas cosas...; antes me ha dicho
usted detalles desconocidos de la vida de César Rubio que
ningún historiador menciona. ¿Cómo ha hecho usted para
saber?

CÉSAR.—*(Con su sonrisa extraña.)* Soy profesor de historia,
como usted, y he trabajado muchos años.

BOLTON.—¡Oh, somos colegas! ¡Me alegro! Es indudable
que entonces... ¿Por qué no ha puesto usted todo esto en
un libro?

CÉSAR.—No lo sé...; inercia; la idea de que hay demasiados libros me lo impide quizás... o soy infecundo, simplemente.

BOLTON.—No es verosímil. *(Se golpea los muslos con las manos y se levanta.)* Perdóneme, pero no lo creo.

CÉSAR.—*(Levantándose.)* ¿Cómo?

BOLTON.—No lo creo..., no es posible.

CÉSAR.—No entiendo.

BOLTON.—Además, es contra toda lógica.

CÉSAR.—¿Qué?

BOLTON.—Esto que usted cuenta. No es lógico un historiador que no escribe lo que sabe. Perdone, profesor, no creo.

CÉSAR.—Es usted muy dueño.

BOLTON.—Luego, estos documentos de que habla no valen diez mil dólares... que son cincuenta mil pesos, perdone mi traducción..., no prueban la muerte de Rubio.

CÉSAR.—Entonces, busque usted por otro lado.

BOLTON.—*(Brillante.)* Tampoco es lógico, sobre todo. Usted sabe qué hombre era César Rubio..., el caudillo total, el hombre elegido. ¿Y qué me da? Un hombre como él, matado a tiros en una emboscada por su ayudante favorito.

CÉSAR.—No es el único caso en la revolución.

BOLTON.—*(Escéptico.)* No, no ¿Él, que era el amo de la revolución, muere así nada más..., cuando más necesario era? Me habla usted de cadáveres desaparecidos, que nadie ha visto, de papeles que no son prueba de su muerte.

CÉSAR.—Pide usted demasiado.

BOLTON.—El enigma es grande. Y la teoría parece absurda. No corresponde al carácter de un hombre como Rubio, con una voluntad tan magnífica de vivir, de hacer una revolución sana; no corresponde a su destino. No lo creo. *(Se sienta con mal humor y desilusión en uno de los sillones.)*

CÉSAR.—*(Después de una pausa.)* Tiene usted razón; no corresponde a su carácter ni a su destino. *(Pausa. Pasea un poco.)* Y bien, voy a decirle la verdad.

BOLTON.—*(Iluminado.)* Yo sabía que eso no podía ser cierto.

CÉSAR.—La verdad es que César Rubio no murió de sus heridas.

BOLTON.—¿Cómo explica usted su desaparición entonces? ¿Un secuestro hasta que Carranza ganó la revolución?

CÉSAR.—*(Con lentitud, como reconstruyendo.)* Rubio salió de la sierra con su asistente ciego.

141

BOLTON.—Pero, ¿por qué no volvió a aparecer? No era capaz de emigrar, ni de esconderse.

CÉSAR.—*(Dubitativo, pausado.)* En efecto..., no era capaz. Sus heridas no tenían gravedad; pero enfermó a consecuencia de ellas..., del descuido inevitable...; tres, cuatro meses. Entretanto, Carranza promulgó la ley del 6 de enero de 1915[27], en Veracruz, como último recurso, y ganó la primera jefatura de la revolución. Esto agravó la enfermedad de César, y...

BOLTON.—¡No me diga usted ahora que murió de enfermedad, en su cama, como..., como un profesor!

CÉSAR.—*(Mirándolo extrañamente.)* ¿Qué quiere usted que le diga, entonces?

BOLTON.—La verdad..., si es que usted la sabe. Una verdad que corresponda al carácter de César Rubio, a la lógica de las cosas. La verdad siempre es lógica.

CÉSAR.—Bien *(Duda.)* Bien. *(Pequeña pausa.)* Enfermó más gravemente..., pero no del cuerpo, cuando supo que la revolución había caído por completo en las manos de gente menos pura que él. Encontró que lo habían olvidado. En muchas regiones ni siquiera habían oído hablar de él, que era el autor de todo...

BOLTON.—Si hubiera sido americano habría tenido gran publicidad.

CÉSAR.—Los héroes mexicanos son diferentes. Encontró que lo confundían con Rubio Navarrete[28]. Con César Treviño[29]. La popularidad de Carranza, de Zapata y de Villa, sus luchas, habían ahogado el nombre de César Rubio. *(Se detiene.)* La conspiración del olvido había triunfado.

BOLTON.—Eso suena más humano, más posible.

CÉSAR.—Su enfermedad lo había debilitado mucho. El desaliento retardó su convalecencia. Cuando quiso volver, después de más de un año, fue inútil. No había lugar para él.

---

[27] El 6 de enero de 1915, Carranza, con la ayuda de Luis Cabrera, redactaba y promulgaba una ley agraria que pedía la restitución de las tierras a las comunidades despojadas y el desarrollo de la pequeña propiedad. En un país asolado por la guerra, un país que anhelaba la paz y el orden, aquella disposición que legalizaba lo que ya hacía Zapata ilegalmente, atrajo a numerosos campesinos hacia los constitucionalistas.

[28] General del ejército federal.

[29] General del ejército revolucionario.

BOLTON.—*(Impresionado.)* Sí..., sí, claro. ¿Qué hizo?

CÉSAR.—Su ejército se había disuelto, sus amigos habían muerto en las grandes matanzas de aquellos años..., otros lo habían traicionado. Decidió desaparecer.

BOLTON.—¿Va usted a decirme ahora que se suicidó?

CÉSAR.—*(Con la misma extraña sonrisa.)* No, puesto que usted quiere la verdad lógica.

BOLTON.—¿Bien?

CÉSAR.—Se apartó de la revolución completamente desilusionado, y pobre.

BOLTON.—*(Con ansiedad.)* ¡Pero vive!

CÉSAR.—*(Acentuando su sonrisa.)* Vive. Más que nosotros dos.

BOLTON.—Le daré la cantidad que usted ha pedido si me lo prueba.

CÉSAR.—¿Qué prueba quiere usted?

BOLTON.—El hombre mismo. Quiero ver al hombre.

(ELENA *pasa de la cocina al comedor llevando pan y servilletas.*)

CÉSAR.—Tiene usted que prometerme que no revelará la verdad a nadie. Sin esta condición no aceptaría el trato, aunque me diera usted un millón.

BOLTON.—¿Por qué?

CÉSAR.—Tiene usted que prometer. Él no quiere que se sepa que vive.

BOLTON.—Pero, ¿por qué?

CÉSAR.—No sé. Quizás espera que la gente lo recuerde un día..., que desee y espere su vuelta.

BOLTON.—Pero yo no puedo prometer el silencio. Yo voy a enseñar en los Estados Unidos lo que sé, mis estudiantes lo esperan de mí.

CÉSAR.—Puede usted decir que vive; pero que no sabe dónde está. (ELENA *sale a la cocina.*)

BOLTON.—*(Moviendo la cabeza.)* La historia no es una novela. Mis estudiantes quieren los hechos y la filosofía de los hechos, pagan por ello, no por un sueño, un... mito.

CÉSAR.—Sin embargo, la historia no es más que un sueño. Los que la hicieron soñaron cosas que no se realizaron;

los que la estudian sueñan con cosas pasadas; los que la enseñan *(con una sonrisa)* sueñan que poseen la verdad y que la entregan.

BOLTON.—¿Qué quiere usted que prometa entonces?

CÉSAR.—Prométame que no revelará la identidad actual de César Rubio. (ELENA *sale a la cocina y vuelve con una sopera humeante.*)

BOLTON.—*(Pausa.)* ¿Puedo decir todo lo demás... y probarlo?

CÉSAR.—Sí.

BOLTON.—Trato hecho. *(Le tiende la mano.)* ¿Cuándo me llevará usted a ver a César Rubio? ¿Dónde está?

CÉSAR.—*(La voz ligeramente empañada.)* Quizá lo verá usted más pronto de lo que imagina.

BOLTON.—¿Qué ha hecho desde que desapareció? Su carácter no es para la inactividad.

CÉSAR.—No.

BOLTON.—¿Pudo dejar de ser un revolucionario?

CÉSAR.—Suponga usted que escogió una profesión humilde, oscura.

BOLTON.—¿Él? Oh, sí. ¿Quizás arar el campo? Él creía en la tierra.

CÉSAR.—Quizás; pero no era el momento...

BOLTON.—Es verdad.

CÉSAR.—Había otras cosas que hacer..., había que continuar la revolución, limpiarla de las lacras personales de sus hombres...

BOLTON.—Sí, César Rubio lo haría. Pero ¿cómo?

CÉSAR.—*(Con voz empañada siempre.)* Hay varias formas. Por ejemplo, llevar la revolución a un terreno mental..., pedagógico.

BOLTON.—¿Qué quiere usted decir?

CÉSAR.—Ser, en apariencia, un hombre cualquiera... un hombre como usted... o como yo... un profesor de historia de la revolución, por ejemplo.

BOLTON.—*(Cayendo casi de espaldas.)* ¿Usted?

CÉSAR.—*(Después de una pausa.)* ¿Lo he afirmado así?

BOLTON.—No..., pero... *(Reaccionando bruscamente, se levanta.)* Comprendo. ¡Por eso es por lo que no ha querido usted publicar la verdad! (CÉSAR *lo mira sin contestar.*) Eso lo explica todo, ¿verdad?

CÉSAR.—*(Mueve afirmativamente la cabeza. Con voz concentrada, con la vista fija en el espacio, sin ocuparse en* ELENA, *que lo mira intensamente desde el comedor.)* Sí..., lo explica todo. El hombre olvidado, traicionado, que ve que la revolución se ha vuelto una mentira, un negocio, pudo decidirse a enseñar historia..., la verdad de la historia de la revolución, ¿no?

(ELENA, *estupefacta, sin gestos, avanza unos pasos hacia los arcos.*)

BOLTON.—Sí. ¡Es... maravilloso! Pero usted...

CÉSAR.—*(Con su extraña sonrisa.)* ¿Esto no le parece a usted increíble, absurdo?

BOLTON.—Es demasiado fuerte, demasiado... heroico; pero corresponde a su carácter. ¿Puede usted probar...?

ELENA.—*(Pasando a la sala.)* La cena está lista. *(Va a la puerta izquierda y llama.)* ¡Julia! ¡Miguel! ¡La cena!

(*Se oye a* MIGUEL *bajar rápidamente la escalera.*)

BOLTON.—*(A* ELENA.*)* Gracias, señora. *(A* CÉSAR.*)* ¿Puede usted?

(CÉSAR *afirma con la cabeza. Entra* MIGUEL. JULIA *llega un segundo después.*)

ELENA.—*(A* BOLTON.*)* Pase usted.

BOLTON.—*(Absorto.)* Gracias. *(Se dirige al comedor; de pronto, se vuelve a* CÉSAR, *que está inmóvil.)* ¡Es maravilloso!

MIGUEL.—*(Mirándolo extrañado.)* Pase usted.

BOLTON.—Maravilloso. ¡Oh, gracias!

ELENA.—Empieza a servir, Julia, ¿quieres?

(JULIA *pasa al comedor.* MIGUEL, *que se ha quedado en la puerta, mira con desconfianza a* BOLTON, *luego a* CÉSAR, *percibiendo algo particular.* CÉSAR, *consciente de esta mirada vigilante, camina unos pasos hacia el primer término, derecha.* ELENA *lo sigue.*)

ELENA.—César...

CÉSAR.—*(Se vuelve bruscamente y ve a* MIGUEL.) Entra en el comedor y atiende al señor *(mira la tarjeta)* Bolton. *(A* BOLTON.) Pase usted. Yo voy a lavarme, si me permite.

(Se dirige a la izquierda bajo la mirada de MIGUEL *que, después de dejar pasar a* BOLTON, *se encoge de hombros y entra.)*

ELENA.—*(Que ha seguido a* CÉSAR *a la izquierda, le detiene por un brazo).* ¿Por qué hiciste eso, César?

CÉSAR.—*(Desasiéndose.)* Necesito lavarme.

ELENA.—¿Por qué lo hiciste? Tú sabes que no está bien, que has *(muy bajo)* mentido.

*(*CÉSAR *se encoge violentamente de hombros y sale.* ELENA *permanece en el sitio siguiéndolo con la vista. Se oyen sus pasos en la escalera. Del comedor salen ahora voces.)*

JULIA.—Siéntese usted, señor.

BOLTON.—Gracias. Digo, sólo en la revolución mexicana pueden encontrarse episodios así, ¿verdad?

MIGUEL.—¿A qué se refiere usted?

BOLTON.—Hombres tan sorprendentes como...

ELENA.—*(Reaccionando bruscamente y dirigiéndose con energía al comedor.)* Mis hijos no saben nada de eso, profesor. Son demasiado jóvenes. } *casi a la vez.*

BOLTON.—*(Levantándose, absolutamente convencido ya.)* ¡Oh, claro está, señora! Comprendo..., pero es maravilloso de todas maneras.

TELÓN

Acto segundo

Cuatro semanas más tarde, en casa del profesor CÉSAR RUBIO. *Son las cinco de la tarde. Hace calor, un calor seco, irritante. Las puertas y la ventana están abiertas.* JULIA *hace esfuerzos por leer un libro, pero frecuentemente abandona la lectura para abanicarse con él. Lleva un traje de casa, excesivamente ligero, que señala con demasiada precisión sus formas. Deja caer el libro con fastidio y se asoma a la ventana derecha. De pronto grita:*

JULIA.—¿Carta para aquí?

> *(Después de un instante se vuelve al frente con desaliento. Recoge el libro y vuelve nuevamente la cabeza hacia la ventana. Mientras ella está así, el desconocido —*NAVARRO*— se detiene en el marco de la puerta derecha. Es un hombre alto, enérgico, de unos cincuenta y dos años. Tiene el pelo blanco y un bigote de guías a la káiser, muy negro, que casi parece teñido. Viste, al estilo de la región, ropa muy ligera. Se detiene, se pone las manos en la cintura y examina la pieza. Al ver la forma de* JULIA *destacada junto a la ventana, sonríe y se lleva instintivamente la mano a la guía del bigote.* JULIA *se vuelve, levantándose. Al ver al desconocido se sobresalta.)*

DESCONOCIDO.—Buenas tardes. Me han dicho que vive aquí César Rubio. ¿Es verdad, señorita?
JULIA.—Yo soy su hija.
DESCONOCIDO.—¡Ah! *(Vuelve a retorcerse el bigote.)* Conque vive aquí. Bueno, es raro.
JULIA.—¿Por qué dice usted eso?

147

DESCONOCIDO.—¿Y dónde está César Rubio?

JULIA.—No sé..., salió.

DESCONOCIDO.—*(Con un gesto de contrariedad.)* Regresaré a verlo. Tendré que verlo para creer...

JULIA.—Si quiere usted dejar su nombre, yo le diré...

DESCONOCIDO.—*(Después de pausa.)* Prefiero sorprenderlo. Soy un viejo amigo. Adiós, señorita. *(Se atusa el bigote, sonríe, con insolencia y recorre el cuerpo de* JULIA *con los ojos. Ella se estremece un poco. Él repite, mientras la mire.)* Soy un amigo..., un antiguo amigo. *(Sonríe para sí.)* Y espero volver a verla a usted también, señorita.

JULIA.—Adiós.

DESCONOCIDO.—*(Sale contoneándose un poco y se vuelve a verla desde la puerta.)* Adiós, señorita. *(Sale.)*

*(*JULIA *se encoge de hombros. Se oyen los pasos de* ELENA *en la escalera.* JULIA *reasume su posición de lectura.)*

ELENA.—*(Entrando.)* ¿Quién era? ¿El cartero?

JULIA.—No..., un hombre que dice que es un antiguo amigo de papá. Lo dijo de un modo raro. Dijo también que volvería. Me miró de una manera tan desagradable...

ELENA.—*(Con intención.)* ¿Dices que no pasó el cartero?

JULIA.—Pasó..., pero no dejó nada.

ELENA.—¿Esperabas carta?

JULIA.—No.

ELENA.—Haces mal en mentirme. Sé que has escrito a ese muchacho otra vez. ¿Por qué lo hiciste? *(*JULIA *no responde.)* Las mujeres no deben hacer esas cosas; no haces sino buscarte una tortura más, esperando, esperando todo el tiempo.

JULIA.—Algo he de hacer aquí. Mamá, no me digas nada. *(Se estremece.)*

ELENA.—¿Qué tienes?

JULIA.—Estoy pensando en ese hombre que vino a buscar a papá..., en cómo me miró. *(Transición muy brusca. Arroja el libro.)* ¿Vamos a estar así toda la vida? Yo ya no puedo más.

ELENA.—*(Moviendo la cabeza.)* No es esto lo que te atormenta, Julia, sino el recuerdo de México. Si olvidaras a ese muchacho, te resignarías mejor a esta vida.

JULIA.—Todo parece imposible. ¿Y mi padre, qué hace? Irse por la mañana, volver por la noche, sin resolver nada nunca, sin hacer caso de nosotros. Hace semanas que no puede hablársele sin que se irrite. Me pregunto si nos ha querido alguna vez.

ELENA.—Le apena que sus asuntos no vayan mejor, más rápidamente. Pero tú no debes alimentar esas ideas que no son limpias, Julia.

JULIA.—Miguel también está desesperado, con razón.

ELENA.—Son ustedes tan impacientes... ¿Dónde está ahora tu hermano?

JULIA.—Se fue al pueblo, a buscar trabajo. Dice que se irá. Hace bien. Yo debía...

ELENA.—¿Qué puede una hacer con hijos como ustedes, tan apasionados, tan incomprensivos? Te impacienta esperar un cambio en la suerte de tu padre, pero no te impacienta esperar que te escriba un hombre que no te quiere.

JULIA.—Me haces daño, mamá.

ELENA.—La verdad es la que te hace daño, hija. (JULIA *se levanta y se dirige a la izquierda.*) Hay que planchar la ropa. ¿Quieres traerla? Está tendida en el solar.

(JULIA, *sin responder, pasa el comedor y de allí a la cocina para salir al solar.* ELENA *la sigue con la vista, moviendo la cabeza, y pasa a la cocina.*
La escena queda desierta un momento. Por la derecha entra CÉSAR *con el saco al brazo, los zapatos polvosos. Tira el saco en una silla y se tiende en el sofá de tule enjugándose la frente. Acostado, lía, metódicamente como siempre, un cigarro de hoja. Lo enciende. Fuma.* ELENA *entra en el comedor, percibe el olor del cigarro y pasa a la sala.*)

ELENA.—¿Por qué no me avisaste que habías llegado?

CÉSAR.—Dame un vaso de agua con mucho hielo.

(ELENA *pasa al comedor y vuelve un momento después con el agua.* CÉSAR *se incorpora y bebe lentamente.*)

ELENA.—¿Arreglaste algo?

CÉSAR.—*(Tendiéndole el vaso vacío.)* ¿No crees que te lo habría dicho si así fuera? Pero no puedes dejar de preguntarlo, de molestarme, de... *(calla bruscamente).*

ELENA.—*(Dando vueltas al vaso en sus manos.)* Julia tiene razón..., hace ya semanas que parece que nos odias, César.

CÉSAR.—Hace semanas que parece que me vigilan todos...: tú, Julia, Miguel. Espían mis menores gestos, quieren leer en mi cara no sé qué cosas.

ELENA.—¡César!

JULIA.—*(Entra en el comedor llevando un lío de ropa.)* Aquí está la ropa, mamá.

ELENA.—*(Va hacia el comedor para dejar el vaso.)* Déjala aquí. O mejor no. Hay que recoserla antes de plancharla. ¿Quieres hacerlo en tu cuarto?

(JULIA pasa, sin contestar, a la sala, y cruza hacia la izquierda sin hablar a su padre.)

CÉSAR.—*(Mirándola.)* ¿Sigue molestándote mucho el calor Julia?

JULIA.—*(Sin volverse.)* Menos que otras cosas..., menos que yo misma, papá. *(Sale.)*

CÉSAR.—¿Ves cómo me responde? ¿Qué le has dicho tú, que cada vez siento a mis hijos más contra mí?

ELENA.—*(Con lentitud y firmeza.)* Te engañas, César, no te atreves a ver la verdad. Crees que somos nosotros, que soy yo sobre todo la que incomoda y te persigue. No es eso. Eres tú mismo.

CÉSAR.—¿Qué quieres decir?

ELENA.—Lo sabes muy bien.

CÉSAR.—*(Sentándose bruscamente.)* Acabemos..., habla claro.

ELENA.—No podría yo hablar más claro que tu conciencia, César. Estás así desde que se fue Bolton..., desde que cerraste el trato con él.

CÉSAR.—*(Levantándose furioso.)* ¿Ves cómo me espías? Me espiaste aquella noche también.

ELENA.—¡Oí! por casualidad, y te reproché que mintieras.

CÉSAR.—Yo no mentí. Puesto que oíste, debes saberlo. Yo no afirmé nada, y le vendí solamente lo que él quería comprar.

ELENA.—La forma en que hablaste era más segura que una afirmación. No sé cómo pudiste hacerlo, César, ni menos, cómo te extraña el que te persiga esa mentira.

CÉSAR.—Supón que fuera la verdad

ELENA.—No lo era.

CÉSAR.—¿Por qué no? Tú me conociste después de ese tiempo.

ELENA.—César, ¿dices esto para llegar a creerlo?

CÉSAR.—Te equivocas.

ELENA.—Puedes engañarte a ti mismo si quieres. No a mí.

CÉSAR.—Tienes razón. Y sin embargo, ¿por qué no podría ser así? Hasta el mismo nombre...; nacimos en el mismo pueblo: aquí; teníamos más o menos la misma edad.

ELENA.—Pero no el mismo destino. Eso no te pertenece.

CÉSAR.—Bolton lo creyó todo...; era precisamente lo que él quería creer.

ELENA.—¿Crees que hiciste menos mal por eso? No.

CÉSAR.—¿Por qué no lo gritaste entonces? ¿Por qué no me desenmascaraste frente a Bolton, frente a mis hijos?

ELENA.—Sin quererlo, yo completé tu mentira.

CÉSAR.—¿Por qué?

ELENA.—Tendrías que ser mujer para comprenderlo. No quiero juzgarte, César..., pero esto no debe seguir adelante.

CÉSAR.—¿Adelante?

ELENA.—Vi el paquete que trajiste la otra noche..., el uniforme, el sombrero tejano.

CÉSAR.—¡Entonces me espías!

ELENA.—Sí..., pero no quiero que te engañes más. Acabarías por creerte un héroe. Y quiero pedirte una cosa: ¿qué vas a hacer con ese dinero?

CÉSAR.—No tengo que darte cuentas.

ELENA.—Pero si no te las pido. Ni siquiera cuando era joven habría sabido qué hacer con el dinero. Lo que quiero es que hagas algo por tus hijos..., están desorientados, desesperados.

CÉSAR.—Tienes razón, tienes razón. He pensado en ellos, en ti, todo el tiempo. He querido hacer cosas. He ido a Saltillo, a Monterrey, a buscar una casa, a ver muebles. Y no he podido comprar nada..., no sé por qué... *(Baja la cabeza.)*

151

Fuera de ese uniforme... que me hacía sentirme tan seguro de ser un general.

ELENA.—¿No has pensado que podría descubrirse tu mentira?

CÉSAR.—No se descubrirá. Bolton me dio su palabra. Nadie sabrá nada.

ELENA.—Tú, todo el tiempo. ¿Por qué no nos vamos de aquí? Los muchachos necesitan un cambio..., un verdadero cambio. Vámonos, César...; sé que tienes dinero suficiente..., no me importa cuánto. Ahora que lo tienes... es el guardarlo lo que te pone así.

CÉSAR.—¿Tengo derecho a usarlo? Eso es lo que me ha torturado. ¿Derecho a usarlo en mis hijos sin...?

ELENA.—Tienes el dinero. Yo no podría verte tirarlo, ahora que lo tienes; no podría: me dan tanta inquietud, tanta inseguridad mis hijos.

CÉSAR.—¡Tirarlo! Lo he pensado; no pude. Y... me da vergüenza confesártelo..., pero he llegado a pensar en irme solo.

ELENA.—Lo sabía. Cada noche que te retrasabas pensaba yo; ahora ya no volverá.

CÉSAR.—No fue por falta de cariño..., te lo aseguro.

ELENA.—También lo sé...; eran remordimientos, César.

CÉSAR.—*(Transición.)* ¿Remordimientos por qué? Otros hombres han hecho otras cosas, cometido crímenes...; sobre todo en México. No robé a ningún pobre, no he arruinado a nadie.

ELENA.—Tú sabes que si se descubriera esto, por lo menos Bolton, que es joven, perdería su prestigio, su carrera... y nosotros, que no tenemos nada, la tranquilidad. Vámonos, César.

CÉSAR.—Bolton mismo, si algo averiguara, tendría que callar para no comprometerse. ¿Y adónde podríamos ir? ¿A México?

ELENA.—Siento que tú no estarías tranquilo allí.

CÉSAR.—¿Monterrey? ¿Saltillo? ¿Tampico?

ELENA.—¿Podrías vivir en paz en la República, César? Yo tendría siempre miedo por ti.

CÉSAR.—No te entiendo.

ELENA.—Tú lo sabes..., sabes que tendrías siempre delante el fantasma de...

152

CÉSAR.—*(Rebelándose.)* Acabarás por hacerme creer que soy un criminal. *(Pausa.)* ¿Por qué no ir a los Estados Unidos? ¿A California?

ELENA.—Creo que sería lo mejor, César.

CÉSAR.—Me cuesta el salir de México.

ELENA.—Nada te detiene aquí más que tus ideas, tus sueños, compréndelo.

CÉSAR.—¡Mis sueños! Siempre he querido la realidad: es lo que tú no puedes entender. Una realidad... *(Se encoge de hombros.)* Mucho tiempo he tenido deseos de ir a California; pero no podría ser para toda la vida. *(Reacción vigorosa.)* Has acabado por hacerme sentir miedo; no nos iremos, no corro peligro alguno.

ELENA.—¿Has sentido miedo entonces? También sentiste remordimientos. ¿No te das cuenta de que esas cosas están en ti?

CÉSAR.—Quien te oyera pensaría en algo sórdido y horrible, en un crimen. No, no he cometido ningún crimen. Lo que tu llamas remordimiento no era más que desorientación. Si no he usado el dinero es porque nunca había tenido tanto junto... en mi vida...: he perdido la capacidad de gastar, como ocurre con nuestra clase; otros pierden la capacidad de comer, en fuerza de privaciones.

ELENA.—Sí..., eso parece razonable..., parece cierto, César.

CÉSAR.—¿Entonces?

ELENA.—Parece, porque lo generalizas. Pero no es cierto, César. Puede ser que no hayas cometido un crimen al tomar la personalidad de un muerto para...

CÉSAR.—¡Basta!

ELENA.—Puede ser que no hayas cometido siquiera una falta. ¿Por qué sientes y obras como si hubieras cometido una falta y un crimen?

CÉSAR.—¡No es verdad!

ELENA.—Me acusas de espiarte, de odiarte...; huyes de nosotros diariamente..., y en el fondo, eres tú el que te espías, despierto a todas horas; eres tú el que empiezas a odiarnos..., es como cuando alguien se vuelve loco. ¿No ves?

CÉSAR.—¿Y qué quieres que haga entonces? *(Pausa.)* O... ¿reclamas tu parte?

153

ELENA.—Yo soy de esas gentes que pierden la capacidad de comer: la he perdido a tu lado, en nuestra vida. No me quejo. Pero Miguel dijo que se quedaba porque tú le habías prometido no hacer nada deshonesto.

CÉSAR.—¿Y lo he hecho acaso?

ELENA.—Tú lo sabes mejor que yo; pero tus hijos se secan de no hacer nada[30], César. Somos viejos ya y necesitamos el dinero menos que ellos. Puedes ayudarles a establecerse, fuera de aquí. Podrías darles todo, para librarte de esas ideas... ¿Qué nos importa ser pobres unos cuantos años más, a ti y a mí?

CÉSAR.—(Muy torturado.) ¿No tenemos nosotros derecho a un desquite?

ELENA.—Si tú quieres. Pero no los sacrifiquemos a ellos. Quizá no quieres irte de México porque pensaste que la gente podía enterarse de que tenemos dinero... por vanidad. Si nos vamos, César, seremos felices. Pondremos una tienda o un restorán mexicano, cualquier cosa. Miguel cree en ti todavía, a pesar de todo.

CÉSAR.—¡Déjame! ¿Por qué quieres obligarme a decirlo todo ahora? Después habrá tiempo..., habrá tiempo. (Pausa.) Me conoces demasiado bien.

ELENA.—¡Después! Puede ser tarde. No me guardes rencor, César. (Le toma la mano.) Hemos estado siempre como desnudos, cubriéndonos mutuamente. En el fondo eres recto..., ¿por qué te avergüenzas de serlo? ¿Por qué quieres ser otra cosa... ahora?

CÉSAR.—Todo el mundo aquí vive de apariencias, de gestos. Yo he dicho que soy el otro César Rubio... ¿A quién perjudica eso? Mira los que llevan águila de general sin haber peleado en una batalla; a los que se dicen amigos del pueblo y lo roban; a los demagogos que agitan a los obreros y los llaman camaradas sin haber trabajado en su vida con sus manos; a los profesores que no saben enseñar, a los estudiantes que no estudian. Mira a Navarro, el precandidato..., yo sé que no es más que un bandido, y de eso sí ten-

---

[30] «Secarse»: en México se dice con el sentido de «enflaquecer».

go pruebas, y lo tienen por un héroe, un gran hombre nacional. Y ellos sí hacen daño y viven de su mentira. Yo soy mejor que muchos de ellos. ¿Por qué no...?

ELENA.—Tú lo sabes..., también eso está en ti. Tú no, porque no, porque no.

CÉSAR.—¡Estúpida! ¡Déjame ya! ¡Déjame!

ELENA.—Estás ciego, César.

(Entra MIGUEL con el saco al brazo y un periódico doblado en la mano. Parece trasformado. CÉSAR y ELENA callan, pero sus voces parece que siguieran sonando en la atmósfera. CÉSAR pasea de un extremo a otro. MIGUEL se sienta en el sofá, cansado, mirándolos lentamente.)

ELENA.—¿Dónde estuviste, Miguel?

(MIGUEL no contesta. Mira con intensidad a CÉSAR. La luz se hace más opaca, como si se cubriera de polvo.)

CÉSAR.—*(Volviéndose como picado por un aguijón.)* ¿Por qué me miras así, Miguel?

MIGUEL.—*(Lentamente.)* He estado pensando que tus hijos sabemos muy poco de ti, padre.

CÉSAR.—¿De mí? Nada. Nunca les ha importado saber nada de mí.

MIGUEL.—Pero me pregunto también si mamá sabe más de ti que nosotros, si nos ha ocultado algo.

ELENA.—Miguel. ¿qué te pasa? Es como si me acusaras de...

MIGUEL.—Nada. Es curioso, sin embargo, que para saber quién es mi padre tenga yo que esperar a que lo digan los periódicos.

CÉSAR.—¿Qué quieres decir?

MIGUEL.—*(Desdoblando el periódico.)* Esto. Aquí hablan de ti.

CÉSAR.—*(Yendo hacia él.)* Dame.

MIGUEL.—*(Con una energía concentrada, rítmica casi.)* No. Voy a leerte. Eso por lo menos lo aprendí.

(CÉSAR y ELENA cambian una mirada rápida.)

155

ELENA.—*(A media voz.)* ¡César!

MIGUEL.—*(Leyendo con lentitud, martilleando un poco las palabras.)* «Reaparece un gran héroe mexicano. La verdad es más extraña que la ficción. Bajo este título, tomado de Shakespeare, el profesor Oliver Bolton, de la Universidad de Harvard, publica en el *New York Times* una serie de artículos sobre la revolución mexicana».

CÉSAR.—Sigue.

> *(*ELENA *se acerca a él y toma su brazo, que va apretando gradualmente durante la lectura.)*

MIGUEL.—*(Después de una mirada a su padre; leyendo con voz blanca.)* «El primero relata la misteriosa desaparición, en 1914, del extraordinario general César Rubio, verdadero precursor de la revolución, según parece. Bolton describe la vertiginosa carrera de Rubio, su influencia sobre los destinos de México y sus hombres, hasta caer en una emboscada tendida por un subordinado suyo, comprado por sus enemigos. El artículo reproduce documentos aparentemente fidedignos, fruto de una honesta investigación.»

ELENA.—Había prometido, ¿no?

CÉSAR.—Calla.

MIGUEL.—*(Los mira. Sonríe de un modo extraño y sigue leyendo.)* «Estas revelaciones agitarán los círculos políticos y seguramente alterarán los textos de la historia mexicana contemporánea. Pero el golpe teatral está en el segundo artículo, donde Bolton refiere su reciente descubrimiento en México. Según él, César Rubio, desilusionado ante el triunfo de los demagogos y los falsos revolucionarios, oscuro, olvidado, vive —contra toda creencia—, dedicado en humilde cátedra universitaria —gana cuatro pesos diarios (ochenta centavos de dólar)— a enseñar la historia de la revolución para rescatarla ante las nuevas generaciones. *(*MIGUEL *levanta la vista hacia* CÉSAR, *que se vuelve a otra parte. Se oyen los pasos de* JULIA *en la escalera.)* Al estrechar la mano de este héroe —dice Bolton— prometí callar su identidad actual. Pero no resisto a la belleza de la verdad, al deseo de hacer justicia al hombre cuya conducta no tiene paralelo en la historia.»

JULIA.—Mamá.

MIGUEL.—*(Volviéndose a ella.)* Escucha. *(Lee.)* «Siendo digno César Rubio de un homenaje nacional, puede además ser aún útil a su país, que necesita como nunca hombres desinteresados. Cincinato se retiró a labrar la tierra convirtiéndose en un rico hacendado. César escribió sus *Comentarios:* pero ni estos héroes ni otros pueden equipararse a César Rubio, el gran caudillo de ayer, el humilde profesor de hoy. La verdad es siempre más extraña que la ficción.» *(Pausa.)*

JULIA.—¿Qué quiere decir...?

MIGUEL.—Hay algo más. *(Lee.)* «El profesor Bolton declaró a los corresponsales extranjeros que encontró a César Rubio en una humilde casa de madera aislada cerca del pueblo de Allende[31], próximo a la carretera central».

ELENA.—¡Oh, César!

JULIA.—Papá, no entiendo..., ¿esto se refiere a...?

CÉSAR.—¿Es todo?

MIGUEL.—No..., hay más. Pero dile a Julia que se refiere a ti, padre.

CÉSAR.—Acaba.

MIGUEL.—«La Secretaría de Guerra y el Partido Revolucionario investigan ya con gran reserva este caso por orden del Primer Magistrado de la Nación. A ser cierto, este acontecimiento revolucionará la política mexicana». Ahora sí es todo.

ELENA.—¿Qué vas a hacer ahora, César?

CÉSAR.—Tenías razón. Debemos irnos.

MIGUEL.—Pero yo quiero saber. ¿Es cierto esto? Y si es cierto. ¿por qué lo has callado tanto tiempo, padre?

JULIA.—*(Apartando los ojos del periódico.)* Tú, papá... ¡Parece tan extraño!

MIGUEL.—Dímelo.

ELENA.—Interrogas a tu padre, Miguel.

MIGUEL.—¿Pero no comprendes, mamá? Tengo derecho a saber.

JULIA.—*(Tirando el periódico y corriendo a abrazar a CÉSAR.)* ¿Y te has sacrificado todo este tiempo, papá? Yo no sabía... ¡Oh, me haces tan feliz! Me siento tan mala por no haber...

---

[31] Este pueblo de Allende, situado en el Norte del país, debe corresponder a la ciudad de Allende en Nuevo León, cerca de Monterrey.

(CÉSAR *la abraza de modo que le impide ver su rostro demudado.*)

MIGUEL.—¿Vas a decírmelo?

JULIA.—*(Desprendiéndose, vehemente.)* ¿Acaso no crees que sea cierto? Deberíamos sentir vergüenza de cómo nos hemos portado con él *(sonriendo)*, con el señor general César Rubio.

MIGUEL.—Papá, ¿no me lo dirás?

CÉSAR.—Y bien...

ELENA.—Debemos irnos inmediatamente, César, ya que ha sucedido lo que queríamos evitar. Miguel, Julia, empaquen pronto. Nos vamos ahora mismo a los Estados Unidos. El tren pasará a las siete por el pueblo.

CÉSAR.—*(Decidido.)* Sí, es necesario.

(JULIA *se dirige a la izquierda.*)

MIGUEL.—Pero esto parece una fuga. ¿Por qué? ¿Y por qué el silencio? No es más que una palabra...

JULIA.—*(Volviéndose.)* Ven. Miguel, vamos.

CÉSAR.—*(Con esfuerzo.)* Se te explicará todo después. Ahora debemos empacar y marcharnos.

(MIGUEL *le dirige una última mirada y cruza hacia la izquierda. Cuando se reúne con* JULIA *cerca de la puerta, se oye un toquido por la derecha.* CÉSAR *y* ELENA *se miran con desamparo.*)

CÉSAR.—*(La voz blanca.)* ¿Quién?

(*Cinco hombres penetran por la derecha en el orden siguiente: primero,* Epigmenio GUZMÁN, *presidente municipal de Allende; en seguida, el licenciado* ESTRELLA, *delegado del Partido en la región y gran orador; en seguida,* SALINAS, GARZA *y* TREVIÑO, *diputados locales. Instintivamente* ELENA *se prende al brazo de* CÉSAR *y lo hace retroceder unos pasos,* JULIA *se sitúa un poco más atrás, al otro lado de* CÉSAR, *y* MIGUEL *al lado de su madre. Este cuadro de familia desconcierta un poco a los recién llegados.*)

158

GUZMÁN.—*(Limpiándose la garganta.)* ¿Es usted el que dice ser el general César Rubio?

CÉSAR.—*(Después de una rápida mirada a su familia, se adelanta.)* Ése es mi nombre.

SALINAS.—*(Adelantando un paso.)* Pero ¿es usted el general?

GUZMÁN.—Permítame, compañero Salinas. Yo voy a tratar esto.

ESTRELLA.—Perdón. Creo que el indicado para tratarlo soy yo, señores. *(Blande un telegrama.)* Además, tengo instrucciones especiales.

(ESTRELLA es alto, delgado, tiene esas facciones burdas con pretensión de raza. Usa grandes patillas y muchos anillos. Tiene la piel manchada por esas confusas manifestaciones cutáneas que atestiguan a la vez el exceso sexual y el exceso de abstención sexual. Los otros son norteños típicos, delgados SALINAS y TREVIÑO, gordos GARZA y GUZMÁN. Todos sanos, buenos bebedores de cerveza, campechanos, claros y decididos.)

TREVIÑO.—Oye, Epigmenio...

GARZA.—Mire, compañero Estrella...

(Simultáneamente.)

GUZMÁN.—Me parece, señores, que esto me toca a mí, y ya.

CÉSAR.—*(Que ha estado mirándolos.)* Cualquiera que sea su asunto, señores, háganme favor de sentarse. *(Con un ademán hacia el grupo de sus familiares.)* Mi esposa y mis hijos.

(Los visitantes hacen un saludo silencioso, menos ESTRELLA, que se dirige con una sonrisa a estrechar la mano de ELENA, JULIA y MIGUEL, murmurando saludos banales. Es un capitalino de la baja clase media. Entretanto, Epigmenio GUZMÁN ha estado observando intensamente a CÉSAR.)

GUZMÁN.—Nuestro asunto es enteramente privado. Sería preferible que... *(Mira a la familia.)*

CÉSAR.—Elena...

159

(ELENA *toma de la mano a* JULIA *e inicia el mutis.* MIGUEL *permanece mirando a su padre y a los visitantes alternativamente.*)

ESTRELLA.—De ninguna manera. El asunto que nos trae exige el secreto más absoluto para todos, menos para los familiares del señor Rubio.

(ELENA *y* JULIA *se han vuelto.*)

SALINAS.—No necesitamos la presencia de las señoras por ahora.

TREVIÑO.—Esto es cosa de hombres, compañero.

CÉSAR.—*(Irónico, inquieto en realidad por la tensa atención de* MIGUEL, *por la angustia de* ELENA.) Si es por mí, señores, no se preocupen. No tengo secretos para mi familia.

GARZA.—Lo mejor es aclarar las cosas de una vez. Usted...

ESTRELLA.—Compañero diputado, me permito recordarle que tengo la representación del partido para tratar este asunto. Estimo que la señora y la señorita, que representan a la familia mexicana, deben quedarse.

CÉSAR.—Tengan la bondad de sentarse, señores. *(Todos se instalan discutiendo a la vez, menos* GUZMÁN, *que sigue abstraído mirando a* CÉSAR.) ¿Usted? *(A* GUZMÁN.)

GUZMÁN.—*(Sobresaltado.)* Gracias.

(ESTRELLA *y* SALINAS *quedan sentados en el sofá de tule;* GARZA *y* TREVIÑO *en los sillones de tule, a los lados.* GUZMÁN, *al ser interpelado por* CÉSAR, *va a sentarse al sofá, de modo que* ESTRELLA *queda al centro.* ELENA *y* JULIA *se han sentado en el otro extremo, mirando al grupo.* MIGUEL, *para ver la cara de su padre, que ha quedado de espaldas al público, se sitúa recargado contra los arcos.* CÉSAR, *como un acusado, queda de frente al grupo de políticos en primer término derecha. Los diputados miran a* GUZMÁN *y a* ESTRELLA.)

SALINAS.—¿Qué pasó? ¿Quién habla por fin?

TREVIÑO.—Eso.

ESTRELLA.—*(Adelantándose a* GUZMÁN.) Señores... *(se limpia la garganta).* El señor Presidente de la República y el Partido Revolucionario de la Nación me han dado instrucciones para que investigue las revelaciones del profesor Bolton y establezca la identidad de su informante. ¿Qué tiene usted que decir, señor Rubio? Debo pedirle que no se equivoque sobre nuestras intenciones, que son cordiales.

CÉSAR.—*(Pausado, sintiendo como una quemadura la mirada fija de* MIGUEL.*)* Todos ustedes son muy jóvenes, señores..., pertenecen a la revolución de hoy. No puedo esperar, por lo tanto, que me reconozcan. He dicho ya que soy César Rubio. ¿Es todo lo que desean saber?

SALINAS.—*(A* ESTRELLA.*)* Mi padre conoció al general César Rubio..., pero murió.

TREVIÑO.—También mi tío... sirvió a sus órdenes; me hablaba de él. Murió.

GARZA.—Sin embargo, quedan por ahí viejos que podrían reconocerlo.

ESTRELLA.—Esto no nos lleva a ninguna parte, compañeros. *(A* CÉSAR.*)* Mi comisión consiste en averiguar si es usted el general César Rubio, y si tiene papeles con qué probarlo.

CÉSAR.—*(Alerta, consciente de la silenciosa observación de* GUZMÁN.*)* Si han leído ustedes los periódicos —y me figuro que sí—, sabrán que entregué esos documentos al profesor Bolton.

ESTRELLA.—Mire, mi general..., hm..., señor Rubio, este asunto tiene una gran importancia. Es necesario que hable usted ya.

CÉSAR.—*(Casi acorralado.)* Nunca pensé en resucitar el pasado, señores.

MIGUEL.—*(Avanza dos pasos quedando en línea diagonal frente a su padre.)* Es preciso que hables, papá.

CÉSAR.—*(Tratando de vencer su abatimiento.)* ¿Para qué?

ESTRELLA.—Usted comprende que esta revelación está destinada a tener un peso singular sobre los destinos políticos de México. Todo lo que le pido, en nombre del señor Presidente, en nombre del Partido y en nombre de la patria, es un documento. Le repito que nuestras intenciones son cordiales. Una prueba.

161

CÉSAR.—*(Alzando la cabeza.)* Hay cosas que no necesitan de pruebas, señor. ¿Qué objeto persiguen ustedes al investigar mi vida? ¿Por qué no me dejan en mi retiro?

ESTRELLA.—Porque si es usted el general César Rubio, no se pertenece, pertenece a la revolución, a una patria que ha sido siempre amorosa madre de sus héroes.

SALINAS.—Un momento. Antes de decir discursos, compañero Estrella, queremos que se identifique.

GARZA.—Que se identifique...

TREVIÑO.—Eso es todo lo que pedimos... } *simultáneamente.*
MIGUEL.—Papá. *(Da un paso más al frente.)*

CÉSAR.—Es curioso que quienes necesitan de pruebas materiales sean precisamente mis paisanos, los diputados locales... *(mirada a* MIGUEL*)*... y mi hijo. (MIGUEL *retrocede un paso, bajando la cabeza.)* ¿Por qué no me dejan tan muerto como estaba?

ESTRELLA.—*(Decidido.)* Comprendo muy bien su actitud, mi general, y yo que represento al Partido Revolucionario de la Nación no necesito de esas pruebas. Estoy seguro de que tampoco el señor Presidente las necesita, y bastará...

SALINAS.—*(Levantándose.)* Nosotros sí.

ESTRELLA.—Permítame. Es el pueblo, son los periodistas, que no tardarán en llegar aquí (CÉSAR *y* ELENA *cambian una mirada)*, son los burócratas de la Secretaría de Guerra, que tampoco tardarán. ¿Por qué no nos da usted esa pequeña prueba a nosotros y nos tiene confianza, para que nosotros respondamos de usted ante el pueblo?

CÉSAR.—El pueblo sería el único que no necesitara pruebas. Tiene su instinto y le basta. Me rehúso a identificarme ante ustedes.

MIGUEL.—Pero, ¿por qué, papá?

GARZA.—No es necesario que se ofenda usted, general. Venimos en son de paz. Si pedimos pruebas es por su propia conveniencia.

SALINAS.—Lo más práctico es traer a algunos viejos del pueblo. Yo voy en el carro[32].

TREVIÑO.—Pedimos una prueba como acto de confianza.

---

[32] «Auto»: en México se emplea por «coche».

ESTRELLA.—Yo encuentro que el general tiene razón. *(A CÉSAR.)* Ya ve usted que yo no le he apeado[33] el título que le pertenece. *(A los demás.)* Pero si él supiera para qué hemos venido aquí, comprendería nuestra insistencia.

CÉSAR.—*(Mirando alternativamente a MIGUEL y a ELENA.)* ¿Con qué objeto han venido ustedes, pues?

ESTRELLA.—Allí está la cosa, mi general. Démonos una prueba de mutua confianza.

CÉSAR.—*(Sintiéndose fortalecido).* Empiecen ustedes, entonces.

ESTRELLA.—*(Sonriendo.)* Nosotros estamos en mayoría, mi general: en esta época el triunfo es de las mayorías.

SALINAS.—La cosa es muy sencilla. Si él se niega a identificarse, ¿a nosotros qué? Sigue muerto para nosotros y ya.

ESTRELLA.—Mi misión y mi interés son más amplios que los de ustedes, compañeros.

TREVIÑO.—Allá, usted... y allá las autoridades. Nosotros no tenemos tiempo que perder. Vámonos, muchachos. *(Se levantan.)*

GARZA.—*(Levantándose.)* Espérate, hombre.

SALINAS.—*(Levantándose.)* Yo siempre les dije que era pura ilusión todo.

ESTRELLA.—*(Levantándose.)* Las autoridades militares, en efecto, mi general, podrán presionarlo a usted. ¿Por qué insistir en esta actitud? ¿Por qué no nombra, usted, a alguien que lo conozca, que lo identifique? Es en interés de usted... y de la nación... y de su Estado. *(Se vuelve hacia la familia.)* Pero estamos perdiendo el tiempo. Con todo respeto hacia su actitud, mi general..., estoy seguro de que usted tiene razones poderosas para obrar así...; la señora podría sin duda...

(ELENA *se levanta.*)

CÉSAR.—*(Con angustiosa energía.)* No meta usted a mi mujer en estas cosas.

ELENA.—Déjame, César. Es necesario. Yo atestiguaré.

CÉSAR.—Mi esposa nada sabe de esto. *(A ELENA.)* Cállate.

---

[33] «Apearle a uno»: en México se utiliza en el sentido de «bajar la consideración o el tratamiento».

163

GUZMÁN.—*(Hablando por primera vez desde que empezó esto.)* Un momento. *(Todos se vuelven hacia él, que continúa sentado.)* Dicen que César Rubio era un gran fisonomista..., yo no lo soy; pero recuerdo sus facciones. Era yo muy joven y no lo vi más que una vez; pero para mí, es él. Lo he estado observando todo el tiempo. *(Sensación.)* Tal vez se acuerde de mi padre, que sirvió a sus órdenes. *(Saca un grueso reloj de tipo ferrocarrilero, cuya tapa posterior alza; se levanta él mismo, y tiende el reloj a* CÉSAR *Rubio.)* ¿Lo conoce usted?

CÉSAR.—*(Tomando el reloj, pasa al centro de la escena mientras los demás lo rodean con curiosidad. Duda antes de mirar el retrato, se decide, lo mira y sonríe. Alza la cabeza y devuelve el reloj a* GUZMÁN. *Se mete las manos en los bolsillos y se sienta en el sofá, diciendo:)* Gracias.

GUZMÁN.—¿Lo conoce usted? *(Se acerca.)*

CÉSAR.—*(Lentamente.)* Es Isidro Guzmán; lo mataron los huertitas el 13, en Saltillo.

GUZMÁN.—*(A los otros.)* ¿Ven cómo es él?

ESTRELLA.—¿Es usted, entonces, el general César Rubio?

SALINAS.—Eso no es prueba.

GUZMÁN.—¿Cómo iba a conocer a mi viejo, entonces?

TREVIÑO.—No, no; esto no quiere decir nada.

ESTRELLA.—Un momento, señores. Mi general..., hm..., señor Rubio: ¿dónde nació usted? Espero que no tenga inconveniente en decirme eso.

CÉSAR.—En esta misma población, cuando no era más que principio de aldea.

ESTRELLA.—¿En qué calle?

CÉSAR.—En la única que tenía el pueblo entonces..., la Calle Real.

ESTRELLA.—¿En qué año?

CÉSAR.—Hizo medio siglo precisamente en julio pasado.

ESTRELLA.—*(Sacando un telegrama del bolsillo y pasando la vista sobre él.)* Gracias, mi general. Ustedes dirán lo que gusten, compañeros; a mí me basta con esto. Los datos coinciden.

GUZMÁN.—Y a mí también. Conoció al viejo.

CÉSAR.—*(Sonriendo.)* Le decían la Gallareta[34].

---

[34] Apodo que procede del nombre de una ave nadadora que vive en América en aguas continentales, llamada «focha» en castellano.

GUZMÁN.—*(Con entusiasmo.)* Es verdad.

CÉSAR.—*(Remachando.)* Era valiente.

GUZMÁN.—*(Más entusiasmado.)* ¡Ya lo creo! Ése era el viejo..., murió peleando. Valiente de la escuela de usted, mi general.

CÉSAR.—¿De cuál de las dos? *(Risas.)* No... la Gallareta murió por salvar a César Rubio. Cuando los federales dispararon sobre César, que iba adelante a caballo, el coronel Guzmán hizo reparar[35] su montura y se atravesó. Lo mataron, pero se salvó César Rubio.

TREVIÑO.—¿Por qué habla usted de sí mismo como si se tratara de otro?

CÉSAR.—*(Cada vez mas dueño de sí.)* Porque quizás así es. Han pasado muchos años..., los hombres se transforman. Luego, la costumbre de la cátedra. *(Se levanta.)* Ahora, ¿están ustedes satisfechos, señores?

SALINAS.—Pues... no del todo.

GARZA.—Algo nos falta por ver.

CÉSAR.—Y ¿qué es?

SALINAS.—*(Mirando a los otros.)* Pues papeles, pruebas, pues.

CÉSAR.—*(Después de una pausa.)* Estoy seguro de que ahora, el profesor Bolton publicará los que le entregué, que eran todos los que tenía. Entonces quedará satisfecha su curiosidad por entero. Pero, hasta entonces, sigan considerándome muerto; déjenme acabar mis días en paz. Quería acabar en mi pueblo, pero puedo irme a otra parte.

> *(Sensación y protestas entre los políticos. Aun* SALINAS *y* GARZA *protestan. La familia toda se ha acercado a* CÉSAR. ESTRELLA *acaba por hacerse oír, después de un momento de agitar los brazos y abrir una gran boca sin conseguirlo.)*

ESTRELLA.—Mi general, si he venido en representación del Partido Revolucionario de la Nación y con una comisión confidencial del señor Presidente, no ha sido por una mera

---

[35] En México significa: «Corcovear, dar corcovos o saltos el caballo».

curiosidad, ni únicamente para molestar a usted pidiéndo-
le sus papeles de identificación.

GUZMÁN.—Ni yo tampoco. Yo vine como presidente municipal de Allende a discutir otras cuestiones que importan al
Estado. Lo mismo los señores diputados.

GARZA.—Es verdad.

CÉSAR.—*(Mirando a* ELENA.) ¿Qué desean ustedes, entonces?

ELENA.—*(Adelantándose hacia el grupo.)* Yo sé lo que desean...,
una cosa política. Diles que no, César.

ESTRELLA.—El admirable instinto femenino. Tiene usted una
esposa muy inteligente, mi general.

SALINAS.—Treviño.

TREVIÑO.—¿Qué hubo?

(SALINAS *llama a* TREVIÑO *por el brazo y lo lleva hacia la
puerta, donde hablan ostensiblemente en secreto.* GUZMÁN
los sigue con la vista, moviendo la cabeza.)

GUZMÁN.—*(Mientras mira hacia* SALINAS *y* TREVIÑO.) La señora le ha dado al clavo, en efecto.

SALINAS.—*(En voz baja, que no debe ser oída del público, y muy
lentamente, mientras habla* GUZMÁN.) Vete volando al pueblo
en mi carro. (TREVIÑO *mueve la cabeza afirmativamente.)*

*(Es indispensable que los actores pronuncien estas palabras
inaudibles para el publico. Decirlas efectivamente sugerirá
una acción planeada, y evitará una laguna de progresión
del acto, a la vez que ayudará a los actores a mantenerse en
carácter mientras estén en la escena.)*

CÉSAR.—Gracias. ¿Es eso, entonces, lo que buscan ustedes?

ESTRELLA.—Buscamos algo más que lo meramente político
inmediato, mi general. La reaparición de usted es provi-
den... *(se corrige y se detiene buscando la palabra)* próvida y revolucionaria... *(Entre tanto, al mismo tiempo:)*

SALINAS.—... y tráete a Emeterio Rocha...

ESTRELLA.—... y extraordinariamente oportuna. Este Estado,
como sin duda lo sabe usted, se prepara a llevar a cabo la
elección de un nuevo gobernador.

SALINAS.—*(Entre tanto.)* Él conoció a César Rubio. ¿Entiendes?

TREVIÑO.—*(Mismo juego.)* Seguro. Ya veo lo que quieres.

CÉSAR.—*(A* ESTRELLA.*)* Conozco esa circunstancia..., pero nada tiene que ver conmigo.

SALINAS.—*(Mismo juego, dando una palmada a* TREVIÑO *en el hombro.)* ¿De acuerdo? Nada más por las dudas. (TREVIÑO *afirma con la cabeza.)* Váyase, pues.

(TREVIÑO *sale rápidamente después de dirigir una mirada circular a la escena.)*

ESTRELLA.—Se equivoca usted, mi general. Al reaparecer, usted se convierte automáticamente en el candidato ideal para el Gobierno de su Estado natal.

ELENA.—¡No, César!

JULIA.—¿Por qué no, mamá? Papá lo merece. *(Lo mira con pasión.)*

CÉSAR.—¿Por qué no, en efecto? (SALINAS *se reúne con el grupo sonriendo.)* Voy a decírselo, señor... señor...

ESTRELLA.—Rafael Estrella, mi general.

CÉSAR.—Voy a decírselo, señor Estrella. *(Involuntariamente en el papel, viviendo ya el mito de* CÉSAR *Rubio.)* Me alejé para siempre de la política. Prefiero continuar mi vida humilde y oscura de hasta ahora.

ESTRELLA.—No tiene usted derecho, mi general, permítame, a privar a la patria de su valiosa colaboración.

GUZMÁN.—El Estado está en peligro de caer en el continuismo...; usted puede salvarlo.

CÉSAR.—No. César Rubio sirvió para empezar la revolución. Estoy viejo. Ahora toca a otros continuarla. ¿Habla usted oficialmente, compañero Estrella?

ESTRELLA.—Cumplo, al hacer a usted este ofrecimiento, con la comisión que fue confiada en México por el Partido Revolucionario de la Nación y por el señor Presidente.

GUZMÁN.—Yo conozco el sentir del pueblo aquí, mi general. Todos sabemos que Navarro continuaría el mangoneo del gobernador actual, de acuerdo con él, y no queremos eso. Navarro tiene malos antecedentes.

167

ESTRELLA.—Conocen la historia de usted, y eso basta. El Partido, como el instituto político encargado de velar por la inviolabilidad de los comicios, ve en la reaparición de usted una oportunidad para que surja en el Estado una noble competencia política por la gubernatura. Sin desconocer las cualidades del precandidato general Navarro, prefiere que el pueblo elija entre dos o más candidatos, para mayor esplendor del ejercicio democrático.

GUZMÁN.—La verdad es que tendría usted todos los votos, mi general.

GARZA.—No puede usted rehusar, ¿verdad, compañero Salinas?

SALINAS.—*(Sonriendo.)* Un hombre como César Rubio, que tanto hizo más que nadie por la revolución, no puede rehusar.

CÉSAR.—*(Vacilante.)* En efecto; pero puede rehusar precisamente porque ya hizo. Hay que dejar el sitio a los nuevos, a los revolucionarios de hoy.

ELENA.—Tienes razón, César. No debes pensar en esto siquiera.

JULIA.—¿Pero no te das cuenta, mamá? ¡Papá gobernador! Debes aceptar, papá.

GUZMÁN.—Gobernador... ¡y quién sabe qué más después! Todo el Norte estaría con él.

(CÉSAR *da muestra de pensar profundamente en el dilema.*)

ELENA.—*(Que comprende todo.)* César, óyeme. No dejes que te digan más... No debes...

MIGUEL.—¿Por qué no, mamá? *(Inflexible.)*

ELENA.—¡César!

CÉSAR.—*(A* GUZMÁN.*)* ¿Por qué ha dicho usted eso? Nunca he pensado en... César Rubio no hizo la revolución para ese objeto.

GUZMÁN.—Yo sí he pensado, mi general. Lo pensé desde que vi la noticia.

ESTRELLA.—El señor Presidente de la República me dijo por teléfono: dígale a César Rubio que siempre lo he admirado como revolucionario, que en su reaparición veo un triunfo

168

para la revolución; que juegue como precandidato y que venga a verme.

CÉSAR.—*(Reacciona un momento.)* No... No puedo aceptar.

GUZMÁN.—Tiene usted que hacerlo, mi general.

GARZA.—Por el Estado, mi general.

ESTRELLA.—Mi general, por la revolución.

SALINAS.—*(Con una sonrisa insistente.)* Por lo que yo sé de César Rubio, él aceptaría.

CÉSAR.—*(Contestando directamente.)* El señor diputado tiene todavía sus dudas sobre mi personalidad. Lo que no sabe es que a César Rubio nunca lo llevó a la revolución la simple ambición de gobernar. El poder mata siempre el valor del hombre. O se es hombre, o se tiene poder. Yo soy hombre.

ESTRELLA.—Muy bien, mi general, pero en México sólo gobiernan los hombres.

GUZMÁN.—Si tú tienes dudas, Salinas, no estás con nosotros.

SALINAS.—Estoy, pero no quiero que nos equivoquemos. Yo siempre he sido del partido que gana, y ustedes también, para ser francos. El general no nos ha dado pruebas hasta ahora..., yo no discuto; su nombre es bueno; pero no quiero que vayamos a quedar mal..., por las dudas...; ustedes me entienden.

ESTRELLA.—Compañero Salinas, debo decirle que su actitud no me parece revolucionaria.

CÉSAR.—Yo entiendo perfectamente al señor diputado..., y tiene razón. Vale más que nadie quede mal... y que lo dejemos allí.

ELENA.—*(Tomando la mano de* CÉSAR *y oprimiéndola.)* Gracias, César. *(Él sonríe; pero sería difícil decir por qué.)*

GUZMÁN.—¿Ves lo que has hecho? (SALINAS *no responde.)* General, no se preocupe usted. Nosotros respondemos de todo.

ESTRELLA.—Mi general, yo estimo que usted no está en libertad de tomar ninguna decisión hasta que haya hablado con el señor Presidente.

CÉSAR.—*(Desamparado, arrastrado al fin por la farsa.)* ¿Debo hacerlo? Eso sería tanto como aceptar...

ELENA.—Escríbele, César; dale las gracias, pero no vayas.

ESTRELLA.—Señora, los escrúpulos del general lo honran; pero la revolución pasa en primer lugar.

GUZMÁN.—General, el Estado se encuentra en situación difícil. Todos sabemos lo que hace el gobernador, conocemos sus enjuagues y no estamos de acuerdo con ellos. No queremos a Navarro; es un hombre sin escrúpulos, sin criterio revolucionario, enemigo del pueblo.

CÉSAR.—¿Y de ustedes?

GUZMÁN.—No es sólo eso. Todos los municipios estamos contra ellos; en la última junta de presidentes municipales acordamos pedir la deposición del gobernador, y oponernos a que Navarro gane.

SALINAS.—Lo cierto es que el gobernador, igual que Navarro, excluyen a las buenas gentes de la región.

GARZA.—Son demasiado ambiciosos; han devorado juntos el presupuesto. Deben sueldos a los empleados, a los maestros, a todo el mundo; pero se han comprado ranchos y casas.

CÉSAR.—En otras palabras, ni el actual gobernador ni el general Navarro les brindan a ustedes ninguna ocasión de... colaborar.

GUZMÁN.—¿Para qué engañarnos? Es la verdad, mi general. Es usted tan inteligente que no podemos negar...

ESTRELLA.—El señor Presidente ve en usted al elemento capaz de apaciguar el descontento, de pacificar la región, de armonizar el gobierno del Estado.

GARZA.—Pero los que somos de la misma tierra vemos en usted también al hombre de lucha, al hombre honrado que representa el espíritu del Norte. ¿Dónde está el mal si queremos colaborar con usted? Usted no es un ladrón ni un asesino.

CÉSAR.—Nunca creyó César Rubio que la revolución debiera hacerse para el Norte o para el Sur, sino para todo el país.

ESTRELLA.—Razón de más, mi general. Ese criterio colectivo y unitario es el mismo que anima al señor Presidente hacia la colectividad.

ELENA.—*(Cerca de* CÉSAR.) No oigas nada más ya, César. Diles que se vayan..., te lo pido por...

170

CÉSAR.—*(La hace a un lado. Pausa.)* Señores, les agradezco mucho..., pero ustedes mismos, en su entusiasmo, que me conmueve, han olvidado que existe un impedimento insuperable.

ESTRELLA.—¿Qué quiere usted decir, señor?

CÉSAR.—Los plebiscitos serán dentro de cuatro semanas.

GUZMÁN.—Por eso queremos resolver ya las cosas.

GARZA.—En seguida.

SALINAS.—Por lo menos, aclararlas.

ESTRELLA.—Las noticias publicadas en los periódicos sobre la reaparición de usted son la propaganda más efectiva, mi general. No tendrá usted que hacer más que presentarse para ganar los plebiscitos.

CÉSAR.—El impedimento de que hablo es de carácter constitucional.

GUZMÁN.—No sé a qué se refiere usted, señor general. Nosotros procedemos siempre con apego a la Constitución.

CÉSAR.—*(Sonriendo para sí.)* Con apego a ella, todo candidato debe haber residido cuando menos un año en el Estado. Yo no volví a mi tierra sino hasta hace cuatro semanas. *(Esto lo dice con un tono definitivo, casi triunfal. Sin embargo, sería difícil precisar qué objeto es el que persigue ahora.)*

GUZMÁN.—Es verdad, pero...

SALINAS.—Eso yo lo sabía ya, pero esperaba a que el general lo dijera. Su actitud borra todas mis dudas y me convence de que es otro el candidato que debemos buscar.

GARZA.—*(Tímidamente.)* Pero, hombre, yo creo que puede haber una solución.

ESTRELLA.—Debo decir que el partido considera este caso político como un caso de excepción..., de emergencia casi. Lo que interesa es salvar a este Estado de caer en las garras del continuismo y de los reaccionarios. La Constitución local puede admitir la excepción y ser enmendada.

SALINAS.—Olvida usted que eso es función de los legisladores, compañero.

ESTRELLA.—No sólo no olvido, compañero, sino que el partido ha previsto también esa circunstancia y cuenta con la colaboración de ustedes para que la Constitución local sea reformada.

171

SALINAS.—Esto está por ver.

GUZMÁN.—Hombre, Salinas...

ESTRELLA.—Creo que no es el lugar ni la ocasión de discutir...

CÉSAR.—*(Pausadamente.)* Existen antecedentes, ¿o no? La Constitución Federal ha sido enmendada para sancionar la reelección y para ampliar los periodos por razones políticas. En lo que hace a las constituciones locales, el caso es más frecuente.

SALINAS.—No en este Estado. Usted, que es del Norte, debe de saberlo.

CÉSAR.—*(Sin alterarse.)* Cuando, por ejemplo, un candidato ha estado desempeñando un alto puesto de confianza en el gobierno federal, no ha necesitado residir un año entero en su Estado natal con anterioridad a las elecciones. Le han bastado unas cuantas visitas. Pero...

ESTRELLA.—Naturalmente, mi general. los gobiernos no pueden regirse por leyes de carácter general sin excepción. Lo que el partido ha hecho antes, lo hará ahora.

CÉSAR.—Sólo que yo no estoy en esas condiciones. No fue un alto empleo de confianza en el gobierno federal lo que me alejó de mi Estado, sino una humilde cátedra de historia de la revolución.

GUZMÁN.—Eso a mí me parece más meritorio todavía.

ESTRELLA.—Mi general, deje usted al partido encargarse de legalizar la situación. Ha resuelto problemas más difíciles, de modo que, si quiere usted, saldremos esta misma noche para México.

CÉSAR.—*(Dirigiéndose a* SALINAS.) La Legislatura local se opone, ¿verdad?

GARZA.—Perdone, general. El compañero Salinas no es la Legislatura. Ni que fuera Luis XIV.

CÉSAR.—*(A* SALINAS.) Conteste usted.

SALINAS.—Cuando los veo a todos tan entusiasmados y tan llenos de confianza, no sé qué decir. Me opondré en la Cámara si lo creo necesario.

ESTRELLA.—Compañero Salinas, ¿no está usted en condiciones muy semejantes a las del general? Involuntariamente, por supuesto; pero recuerdo su elección...: la arregló usted en México.

SALINAS.—*(Vivamente.)* No es lo mismo. Estaba yo en una comisión oficial.

ESTRELLA.—Pues precisamente eso es lo que ocurre ahora con nuestro general. Ha sido llamado por el señor Presidente, lo cual le confiere un carácter de comisionado.

SALINAS.—Bueno, pues, en todo caso me regiré por la opinión de la mayoría.

ESTRELLA.—Es usted un buen revolucionario, compañero. Las mayorías apreciarán su actitud. *(Le tiende la mano con la más artificial sencillez.)*

ELENA.—*(Angustiada.)* He odiado siempre la política, César. No me obligues a... a separarme de ti.

CÉSAR.—Señores, mi situación, como ustedes ven, es muy difícil. Ni mi esposa ni yo queremos...

ESTRELLA.—Señor general, el conflicto entre la vida pública y la vida privada de un hombre es eterno. Pero un hombre como usted no puede tener vida privada. Ése es el precio de su grandeza, de su heroísmo.

CÉSAR.—¿Crees que estoy demasiado viejo para gobernar, Elena? Conoces mis ideas, mis sueños...; sabes que podría hacer algo por mi Estado, por mi país..., tanto como cualquier mexicano...

GUZMÁN.—¡Oh, mucho más, mi general!

CÉSAR.—Quizás, en el fondo, he deseado esta oportunidad siempre. Si me la ofrecen ellos libremente, ¿por qué no voy a aceptar? Soy un hombre honrado. Puedo ser útil. He soñado tanto tiempo con serlo. Si ellos creen...

ESTRELLA.—Mi general, la utilidad de usted en la revolución, su obra es conocida de todos. Nadie duda de su capacidad para gobernar, ¿verdad, señores?

GUZMÁN.—Por supuesto. Nadie duda de que salvará al Estado.

GARZA.—Estamos seguros. Contamos con usted para eso.

ESTRELLA.—El partido proveerá a que usted, que ha estado un tanto alejado del medio, cuente en su gobierno con los colaboradores adecuados. ¿No es así, compañero Salinas?

SALINAS.—Claro está, compañero Estrella.

CÉSAR.—Comprende lo que quiero, Elena. ¿Por qué no? Pero nada haría yo sin ti.

ESTRELLA.—El señor Presidente, que es un gran hombre de familia, apreciará esta noble actitud de usted. Pero usted, señora, debe recordar la gloriosa tradición de heroísmo y de sacrificio de la mujer mexicana; inspirarse en las nobles heroínas de la independencia y en ese tipo más noble aún si cabe, símbolo de la femineidad mexicana, que es la soldadera.

ELENA.—*(Con un ademán casi brusco.)* Le ruego que no me mezcle usted a sus maniobras.

MIGUEL.—*(Apremiante.)* Hay algo que no dices, mamá. ¿Por qué? ¿Qué cosa es?

JULIA.—Mamá, yo comprendo muy bien..., tienes miedo. Pero puedes ayudar a papá...; tal vez yo también pueda. Debemos hacerlo.

MIGUEL.—¿Qué cosa es, mamá?

JULIA.—Déjala, no la tortures ahora con esas preguntas. Mamá...

ELENA.—¡César!

CÉSAR.—*(Mirándola de frente y hablando pausadamente.)* Di lo que tengas que decir. Puedes hacerlo.

ELENA.—Tengo miedo por ti, César.

ESTRELLA.—Señora, de la vida de mi general cuidaremos todos, pero más que nadie su glorioso destino.

ELENA.—¡César!

CÉSAR.—*(Impaciente, pero frío, definitivo.)* Dilo ya, ¡dilo!

(ELENA *se yergue apretando las manos.*
En el momento en que quizá va a gritar la verdad, aparecen en la puerta derecha TREVIÑO *y Emeterio* ROCHA. ROCHA *es un viejo robusto y sano, de unos sesenta y cinco años. Todos se vuelven hacia ellos.)*

TREVIÑO.—¿Cuál es?

SALINAS.—Tú lo conoces, ¿verdad, viejo?

ROCHA.—*(Deteniéndose y mirando en torno.)* ¿Cuál dices? *(Da un paso hacia* CÉSAR.)

CÉSAR.—*(Adelantándose después de un ademán de fuga: todo a una carta.)* ¿Ya no me conoces, Emeterio Rocha?

ROCHA.—*(Mirándolo lentamente.)* Hace tantos años que...

GUZMÁN.—El general lo conoce.

SALINAS.—Pero no se trata de eso.

ROCHA.—Creo que no has cambiado nada. Sólo te ha creci-
do el bigote. Eres el mismo.

SALINAS.—¿Cómo se llama este hombre, viejo?

CÉSAR.—Anda, Emeterio, dilo.

ROCHA.—*(Esforzándose por recordar.)* Pues, hombre, es curioso. Pero eres el mismo..., pues sí..., el mismo César Rubio.

CÉSAR.—¿Estás seguro de que ése es mi nombre, Emeterio?

ROCHA.—No podría darte otro. Claro, César..., César Rubio,
te conozco desde que jugabas a las canicas en la Calle Real.

CÉSAR.—¿Estás seguro de reconocerme?

ROCHA.—*(Simplemente, tendiéndole la mano.)* ¿Pues no decían
que te habían matado, César?

(CÉSAR le estrecha la mano sonriendo.)

TREVIÑO.—Allí viene una multitud.

*(Empiezan a oírse voces cuya proximidad se acentúa gradual-
mente.)*

GUZMÁN.—Es claro. Todo el pueblo se ha enterado ya. Ahora sí, Salinas, se acabaron las dudas.

MIGUEL.—*(Mirando a CÉSAR.)* ¿Se acabaron?

SALINAS.—Ahora sí. Perdóneme, mi general.

*(CÉSAR le da la mano en silencio. Las voces se precisan. Di-
cen: ¡César Rubio! ¡Queremos a César Rubio!)*

ESTRELLA.—Mi general, diga usted la palabra, diga usted que
acepta.

ELENA.—César...

CÉSAR.—*(Con simple dignidad.)* Si ustedes creen que puedo
servir de algo, acepto. Agradecido.

*(JULIA lo besa. ELENA lo mira con angustia y le oprime la
mano. MIGUEL retrocede un paso.)*

175

GUZMÁN.—*(Corre a la puerta derecha, grita hacia afuera.)* ¡Viva César Rubio, muchachos!

(Vocerío dentro: ¡Viva! ¡Viva, jijos!³⁶. Las mujeres corren a la ventana; miran hacia fuera.)

JULIA.—Mira, papá, ¡mira! *(CÉSAR se acerca.)* Ese hombre del bigote negro es el que vino a buscarte antes.

ESTRELLA.—*(Mirando también.)* ¿Lo conoce usted, mi general?

CÉSAR.—*(Después de una pausa.)* Es el llamado general Navarro.

ROCHA.—Sirvió a tus órdenes en un tiempo. Creo que fue tu ayudante, ¿no? Pero el que nace para ladrón... *(CÉSAR no contesta.)*

VOCES DENTRO.—¡César Rubio! ¡César Rubio! ¡César Rubio!

GUZMÁN.—*(Entrando.)* Mi general, aquí afuera, por favor. Quieren verlo.

ESTRELLA.—*(Asomándose y frotándose las manos.)* Allá vienen los periodistas también.

(CÉSAR se dirige a la puerta. MIGUEL le cierra el paso.)

CÉSAR.—¿Qué quieres? *(MIGUEL no contesta.)* Parece como que tú no lo crees, ¿verdad?

MIGUEL.—¿Y tú?

ESTRELLA Y LA MULTITUD.—¡Viva César Rubio! ¡Viva nuestro héroe!

CÉSAR.—*(Con un ademán.)* Ésa es mi respuesta.

(Sale MIGUEL va hacia ELENA y la toma por la mano, sin hablar. Fuera se oyen nuevos vivas.)

LA VOZ DEL FOTÓGRAFO.—¡Un momento así, mi general! *(Magnesio.)* ¡Eso es! *(Magnesio.)* Ahora con la familia. *(Vivas.)*

---

³⁶ Interjección equivalente a «¡Hijo... de tal!», muy común en el habla popular: «¡jíjole».

César.—*(Asomando.)* Ven, Elena; ven, Julia, ¡Miguel! (Elena *se acerca, él rodea su talle con un brazo, la oprime.)* ¡Todo contigo!

(Salen. Julia *los sigue. Nuevos vivas adentro.*
Miguel *queda solo, dando la espalda a la puerta y a la ventana de la derecha, y baja pensativo al primer término centro. Se vuelve a la puerta desde allí. El ruido es atronador.)*

La voz de César.—*(Dentro.)* ¡Miguel, hijo!

(Miguel *se dirige a la izquierda con una violenta reacción de disgusto, mientras afuera continúan las voces y se oyen algunos cohetes o balazos, y cae el* Telón.)

Acto tercero

Cuatro semanas después, cerca de las once de la mañana, en la casa del profesor CÉSAR *Rubio. La sala tiene ahora el aspecto de una oficina provisional. Hay un escritorio; una mesa para máquina de escribir, con su máquina; papeles y libros amontonados. Hay un rollo de carteles en el suelo junto a los arcos del comedor. Uno de ellos, desplegado, muestra la imagen de* CÉSAR *Rubio con la leyenda* El candidato del pueblo. *En esta improvisación y en este desorden se advierte cierta ostentación de pobreza, una insistencia de* CÉSAR *Rubio en presumir de modestia.*

Instalado ante el escritorio, ESTRELLA *despacha la correspondencia.* GUZMÁN, *sentado en un sillón de tule, fuma un cigarro de hoja.* SALINAS *fuma también, recargado contra la puerta derecha.*

ESTRELLA.—Un telegrama del señor Presidente, señores. *(Los otros vuelven la cabeza hacia él. Lee.)*
«Deseo que en los plebiscitos de hoy el pueblo premie en usted al héroe de la Revolución Punto Si no fuera así su colaboración me será siempre inestimable Punto Ruégole informarme inmediatamente resultado plebiscito Punto Afectuosamente». *(Deja el telegrama; actúa.)* Éste es un documento histórico, único.

GUZMÁN.—Ganaríamos de todos modos, aunque el Presidente no quisiera. No se ha visto un movimiento semejante en el pueblo desde Madero. El general se ha echado a la bolsa a todo el mundo.

ESTRELLA.—Es un hombre extraordinario. Sabes escuchar, callar, decir lo estrictamente preciso, y obrar con una energía y una limpieza como no había yo visto nunca. Pero es pre-

179

ferible contar con el apoyo del Centro. ¿No es verdad, compañero Salinas? (SALINAS *mueve la cabeza afirmativamente.*) Al señor Presidente lo conquistó a las cuatro palabras. Y aquí, ya ven.

SALINAS.—Nunca en mi vida política vi entusiasmo semejante. Los plebiscitos están prácticamente ganados; pero yo no estoy tranquilo.

GUZMÁN.—Otra vez, ya te llaman dondequiera el diputado, por las dudas.

ESTRELLA.—¿Qué quiere usted decir?

SALINAS.—*(Abandona su posición y entra cruzando hacia el primer término centro.)* Quiero decir que corren rumores muy feos. En todo caso, Navarro no es hombre para quedarse así nomás. Hay que tener mucho cuidado, y sería bueno que el general se armara, por las dudas.

GUZMÁN.—¿No te digo? Primero lo convencerías de renunciar que de portar pistola, hombre. No es como nosotros. Además, yo tengo establecida una vigilancia muy completa. No pasará nada.

SALINAS.—Ojalá. Estoy convencido ya de que el general es un gran hombre —el más grande de todos— y debe llevarnos adonde necesitamos ir. Es preciso que no pase nada, Epigmenio.

GUZMÁN.—*(Levantándose.)* El compañero Salinas tiene lo que llaman los franceses una *idée fixe. (Lo miran.)* Quiere decir idea fija. Me gustaría que se explicara. Los plebiscitos deben empezar a las once y media... *(Ojeada al reloj pulsera.)* Tenemos el tiempo de llegar apenas. Explíquese, compañero.

SALINAS.—Hombre, en primer lugar, Navarro ha dicho por ahí que el general no ganará mientras él viva. (GUZMÁN *emite un sonido de burla)...* Y luego... *(se detiene).*

GUZMÁN.—¿Qué pues? Hable ya.

SALINAS.—Ha dicho que él tiene medios de... probar que el general es un impostor, ¡vaya! *(Se enjuga la frente.* GUZMÁN *ríe a carcajadas.)*

ESTRELLA.—Creo que tendré que hablar unas palabras con el general Navarro, en nombre del Partido.

GUZMÁN.—Ése te ganó, Salinas.

SALINAS.—Basta que Navarro lo diga para que nadie lo crea. De todos modos, hay que ponerse muy águilas[37].

ESTRELLA.—¿Quieren que les diga mi opinión muy franca, señores?

GUZMÁN.—A ver.

ESTRELLA.—Si el general Navarro viera un poco más de cerca al general Rubio, le pasaría lo que a todos los demás, lo mismo que a usted, Salinas.

SALINAS.—¿Qué?

ESTRELLA.—Se volvería rubista. *(Los otros ríen.)* Hablo en serio. El general tiene un magnetismo inexplicable. Yo sé, por ejemplo, que el presidente del partido es un hombre difícil. Bueno, pues en media hora de plática, parecía como que se había enamorado de él. (GUZMÁN *ríe satisfecho.)*

SALINAS.—¿Y Garza? ¿No debía venir a las diez y media?

GUZMÁN.—Garza está allá, acabando de arreglar todo lo necesario. Allá lo veremos.

SALINAS.—¿Y Treviño?

ESTRELLA.—Tiene que ayudar a Garza.

SALINAS.—Pero ya debían estar aquí, ¿no?

GUZMÁN.—¡Qué nervioso estás! Ni que fueras el candidato.

ESTRELLA.—Así les pasa en las bodas a las damas de la novia. Se anticipan.

SALINAS.—Digan lo que quieran. Yo no estaré tranquilo hasta ver al general en el palacio de gobierno. Por las dudas.

GUZMÁN.—Cállate. Ahí viene.

(Se oyen los pasos de CÉSAR *en la escalera. Los tres hombres se reúnen para saludarlo. Entra* CÉSAR *Rubio. En estas cuantas semanas se ha operado en él una transfiguración impresionante. Las agitaciones, los excesos de control nervioso, la fiebre de la ambición, la lucha contra el miedo, han dado a su rostro una nobleza serena y a su mirada una limpidez, una seguridad casi increíble. Está pálido, poco afilado, pero revestido de esa dignidad peculiar en el mestizo de categoría. A pesar del calor, viste un pantalón y un saco de casimir oscuro; una camisa blanca y fina*

---

[37] En México, expresión actual para decir «estar listo, avisado, aguzado».

y una corbata azul marino de algodón. Lleva en la mano un sombrero de los llamados tejanos, blanco, «cinco equis», que ostenta el águila de general de división. Éste sería el único lujo de su nueva personalidad, si no se considerara en primer lugar la minuciosa limpieza de su persona como un lujo mayor aún.)

CÉSAR.—Buenos días, muchachos.

TODOS.—Buenos días, mi general.

ESTRELLA.—¿Cómo se siente el señor gobernador?

CÉSAR.—¿Para qué anticipar las cosas, Estrella? Nada pierde uno con esperar.

GUZMÁN.—Eso es pan comido[38], señor.

ESTRELLA.—Vea usted el telegrama del señor Presidente, mi general, por si le quedan dudas.

CÉSAR.—*(Después de pasar la vista por el telegrama.)* Ninguna duda, Estrella. No puede haberla donde sabe uno que las cosas simplemente son o no son. *(Deja el sombrero y aparta los telegramas con una mano, sin fijarse mucho en ellos.)* Lo bueno de la carrera del político... ¿No hay telegrama del profesor Bolton?

ESTRELLA.—Envía su felicitación, mi general; pero no puede venir. Ofrece estar presente en la toma de posesión.

CÉSAR.—*(Sencillamente.)* Me hubiera gustado verlo aquí hoy. *(Pasea de un extremo a otro, lentamente.)* Lo bueno de la carrera del político es que lo pone a uno en contacto con las raíces de las cosas, con los hechos, con la acción. La política es una especie de filología de la vida que lo concatena todo. Pero lo que yo prefiero es este vivir frente con el tiempo, sin escapatoria..., este ir de la mano con el tiempo sin perder ya un segundo de él. *(Se detiene, levanta el cartel y lo mira. Luego busca dónde colgarlo mientras sigue hablando. GUZMÁN y SALINAS se precipitan, toman el cartel y lo prenden sobre uno de los arcos. CÉSAR, mirándose en su imagen, continúa.)* Va uno al fondo de las pasiones humanas sin perder su tiempo, y conoce uno el precio de todo a primera vista... y

---

[38] En sentido figurado, se dice de algo que parece tan sencillo que se puede dar por hecho.

lo paga uno. La política lo relaciona a uno con todas las cosas originales, con todos los sistemas del movimiento, empezando por el de las estrellas. Se sabe la causa y el objeto; pero se sabe a la vez que no puede uno revelarlos. Se conoce el precio del hombre. Y así el gran político viene a ser el latido, el corazón de las cosas.

ESTRELLA.—*(Que es el único que ha entendido un poco.)* La política es superior a todo lo demás, en efecto, mi general. Es un ejercicio de todo el cuerpo y de todo el espíritu.

CÉSAR.—*(Dejando pasar la interrupción.)* El político es el eje de la rueda; cuando se rompe o se corrompe, la rueda, que es el pueblo, se hace pedazos; él separa todo lo que no serviría junto, liga todo lo que no podría existir separado. Al principio, este movimiento del pueblo que gira en torno a uno produce una sensación de vacío y de muerte; después descubre uno su función en ese movimiento, el ritmo de la rueda que no serviría sin eje, sin uno. Y se siente la única paz del poder, que es moverse y hacer mover a los demás a tiempo con el tiempo. Y por eso ocurre que el político puede ser, es, en México, el mayor creador o el destructor más grande. ¿Es parecido a mí este retrato?

GUZMÁN.—Ya lo creo que es parecido. El otro día, viendo un cartel, me decía uno de los viejos del pueblo, que lo conoció a usted cuando empezaba en la revolución: César no cambia; está igual que cuando le barrieron a la gente en Hidalgo, hace treinta años.

ESTRELLA.—El heroísmo es una especie de juventud eterna, mi general.

CÉSAR.—Es verdad. Este retrato se parece más al César Rubio de principios de la revolución que a mí. Y sin embargo, soy yo. *(Sonríe.)* Es curioso. ¿Quién lo hizo?

SALINAS.—Un grabador viejo de aquí del pueblo.

CÉSAR.—El pueblo entiende muchas cosas. *(Sonríe, piensa un momento y abre la boca como si fuera a decir algo más sobre esto. Se reprime, se pone las manos a la espalda y da algunos pasos al frente.)* ¿Corrigió usted su discurso, Estrella?

ESTRELLA.—Está listo, mi general.

CÉSAR.—¿En la forma que habíamos convenido... acerca de mi resurrección?

183

ESTRELLA.—Sí, mi general. *(Declama.)* «Sólo los pueblos nobles que han sufrido pueden esperar acontecimientos así de...

CÉSAR.—*(Interrumpiéndolo.)* Permítamelo. (ESTRELLA *se lo tiende.)* ¿Hay gente afuera?

GUZMÁN.—Veinte o treinta.

CÉSAR.—Diles que me vean en el plebiscito, Salinas. (SALINAS *sale. Mientras,* CÉSAR *lee y pasea. Termina de leer y devuelve su discurso a* ESTRELLA.) Muy bien, licenciado. *(Ojeada a su reloj de bolsillo.)*

ESTRELLA.—Gracias, mi general.

SALINAS.—*(Volviendo.)* Señor, creo que ya es hora de irnos.

CÉSAR.—¿Se fue la gente?

SALINAS.—No; todos quieren escoltarlo a usted hasta el pueblo. (CÉSAR *sonríe.)* Los carros están listos.

CÉSAR.—Ya nos vamos. Nada más voy a despedirme de mi esposa.

(Se dirige hacia la puerta izquierda. En ese momento entra TREVIÑO, *sin aliento.)*

CÉSAR.—*(Casi en la puerta, se vuelve.)* ¿Qué pasó? Los otros se agrupan.

TREVIÑO.—Mi general, ahí viene Navarro. Viene a verlo a usted.

CÉSAR.—*(Un paso adelante.)* ¿Navarro?

GUZMÁN.—¡Es el colmo del descaro! ¿Qué quiere aquí?

ESTRELLA.—Me lo figuro. Ha de venir a buscar a una componenda, porque el presidente del partido lo mandó regañar.

SALINAS.—No me fío.

GUZMÁN.—¿Qué hacemos, mi general?

CÉSAR.—Déjenlo venir. Yo voy a despedirme de mi esposa. Que me espere aquí.

TREVIÑO.—Pero probablemente quiere una entrevista privada.

CÉSAR.—*(Con una sonrisa.)* Seguramente.

ESTRELLA.—¿Se la concederá usted?

CÉSAR.—¿Por qué no?

SALINAS.—Mi general, por favor... *(Saca su pistola y se la ofrece.)*

César.—*(Riendo.)* No, hombre. Así me daría miedo.

Salinas.—*(Suplicante.)* Mi general...

César.—*(Dándole una palmada.)* Guárdate eso. No seas tonto, hijo.

Guzmán.—No le hace, mi general; nosotros estamos armados.

César.—*(Severamente.)* Mucho cuidado, Epigmenio. Navarro viene aquí como parlamentario. No vayan a hacer ninguna tontería. Trátenlo con discreción, con buenos modos, igual que a los que vengan con él. *(Gestos de descontento.)* Quiero que se me obedezca, ¿entendido?

(Regresa hacia el escritorio, para tomar su sombrero.)

Guzmán.—Está bueno, pues, mi general.

(César sale por la izquierda.)

Estrella.—*(Sonriendo y alzando los brazos.)* Ésos son pantalones[39], señores.

Guzmán.—Es igual. Ojalá se me disparara sola ésta *(señala su pistola)* cuando esté aquí Navarro.

Salinas.—¿Con quién viene, tú?

Treviño.—No pude ver bien; pero creo que con Salas y Léon.

Guzmán.—Sus pistoleros, seguro. Se me hace que aquí va a pasar algo.

Estrella.—Nada. Apuesto cualquier cosa a que viene a decir que se retira del plebiscito y que quiere una chamba[40].

Salinas.—*(Riendo.)* ¡Muy fácil! Usted todavía no conoce bien a los norteños, licenciado. *(Va hacia la puerta.)*

Estrella.—Eso le daría mejor resultado; podría enderezarlo con el partido.

Guzmán.—Pues no hay más que abrir bien los ojos.

Salinas.—*(Desde la puerta.)* Allí están. *(Entra.)*

---

[39] Expresión figurada y familiar que significa «proceder con la energía que se requiera».

[40] Palabra familiar por «trabajo transitorio y de oportunidad».

(Sin decir palabra, Guzmán, Treviño *y* Salinas *revisan sus pistolas; se cercioran de que salen con facilidad del cinturón, y esperan alineados, mirando a la puerta.)*

Estrella.—*(Mientras habla se desliza insensiblemente detrás de ellos.)* Todo eso son precauciones inútiles, señores. Además, se ponen ustedes en plan de ataque, a pesar de las órdenes del general.

Guzmán.—*(Apretando los dientes. Sin volverse.)* ¿Qué sabemos cómo vienen éstos...?

Salinas.—*(Sin volverse.)* Es nomás por las dudas.

Treviño.—*(Mismo juego.)* A ver si no pasa aquí lo que no ha pasado en tanto tiempo.

Guzmán.—*(Sin volverse. Con una risita.)* Yo siempre le he tenido ganas a Navarro.

Estrella.—*(Cerciorándose de que está protegido, mientras mira con inquietud hacia la puerta.)* ¡Prudencia! ¡Prudencia! Hay que cumplir las órdenes del general, señores...

(Todos están mirando a la puerta con una intensidad que, después de un momento, afloja. Treviño *es el primero que se sienta sin hablar.)*

Guzmán.—*(Enjugándose la frente y dirigiéndose hacia el sofá.)* ¡Bah! Que lleguen cuando gusten.

Salinas.—*(Torciendo un cigarro y abandonando guardia.)* Qué pronto se cansan ustedes.

Estrella.—*(Volviendo al escritorio.)* En realidad, es mejor así.

(En este momento, como si hubiera estado esperando esta nueva actitud, entra Navarro *flanqueado por sus dos pistoleros. Es el desconocido del segundo acto.)*

Navarro.—¿Qué hay, muchachos? *(Sobresalto general. Todos se levantan y agrupan.)* No se espanten, hombre. *(Cruza al centro.)* ¿Dónde está el maestrito ese? *(Riendo.)* No me esperaban, ¿eh?

Estrella.—*(Un poco tembloroso, pero impecable.)* El señor general Rubio está enterado de la visita de usted y le ruega que tenga la bondad de esperar. *(Los hombres de* NAVARRO *se burlan un poco de esta fórmula.)*

NAVARRO.—*(Mordiéndose los labios.)* ¡Ah, vaya! *(Se vuelve hacia sus pistoleros.)* Pues haremos antesala, ¿Qué les parece?

SALAS.—Como en la Presidencia, jefe. *(Ríe.)*

LEÓN.—*(Con un movimiento amenazador.)* Lo que es nosotros, no lo haremos esperar a él.

GUZMÁN.—*(Adelantando un paso hacia él.)* ¿Con qué sentido lo dices?

LEÓN.—*(Imitándolo.)* Con el que tú quieras, Epigmenio. Con éste. *(Hace además de desenfundar.)*

ESTRELLA.—¡Señores! ¡Señores!

NAVARRO.—¡Quieto, León! *(Epigmenio* GUZMÁN *y* LEÓN *retroceden hacia ángulos opuestos mirándose con ferocidad de matones. A* ESTRELLA.) Usted es el representante del partido, ¿no? Dígale a Rubio que quiero hablarle a solas.

ESTRELLA.—El señor general Rubio sabe que quiere usted hablarle a solas. Así será.

NAVARRO.—*(Mordiéndose los labios.)* No puede negar que es maestro, lo sabe todo. ¿Entonces qué esperan ustedes para salir?

SALINAS.—Si crees que vamos a dejar aquí solos con él a tres matones con pistolas...

NAVARRO.—*(Amenazador.)* Mira, Salinas... *(Transición, ríe.)* Yo no vengo armado. *(Abre ligeramente su saco para probarlo.)*

GUZMÁN.—Pero éstos sí.

NAVARRO.—Salas, dale tu pistola a León.

SALAS.—Pero, oye...

NAVARRO.—*(Con mando brutal.)* Dale tu pistola a Léon. (SALAS *lo obedece a regañadientes.)* León, espéranos en el coche. Salas se reunirá contigo dentro de un momento y me esperarán juntos. (LEÓN *sale después de mirar hacia los otros y escupir.)* Ahora, güeritos[41], lárguense ustedes también. *(Los otros dudan.)*

ESTRELLA.—Son las órdenes del general, señores.

---

[41] «Güero» o «huero»: «rubio», aquí se usa como expresión de cariño, sobre todo, con el diminutivo.

GUZMÁN.—*(A* TREVIÑO.) Vente... vamos a cuidarle las manos al León de circo ese.

SALINAS.—El general dijo que lo esperara Navarro solo.

ESTRELLA.—Yo voy a subir; bajaré con el general. No hay cuidado.

NAVARRO.—Me gusta la conversación. Salas se queda conmigo hasta que baje el maestrito.

(GUZMÁN *y* TREVIÑO *salen.* SALINAS *los imita moviendo la cabeza. Todavía en la puerta derecha se vuelve con desconfianza.* ESTRELLA *sale por la izquierda. Se le oye subir la escalera.)*

NAVARRO.—*(En voz alta.)* ¡Qué cerote[42] tienen éstos! Te aseguro que nos van a espiar.

SALAS.—También yo no sé para qué quieres hablar con Rubio.

NAVARRO.—Dicen que es muy buen conversador. *(Ríe.)* Dame un cigarro de papel, ¿tienes? (SALAS *se acerca a dárselo.)* Lumbre. (SALAS *enciende un cerillo y se acerca más para encender el cigarro. De este modo quedan los dos en primer término centro, casi fuera del arco del proscenio.)* ¿Está todo arreglado?

SALAS.—Todo, jefe.

(SALINAS *asoma brevemente la cabeza.* NAVARRO *lo ve, ríe;* SALINAS *desaparece.)*

NAVARRO.—Ya sabes entonces: si no hay arreglo, te vas volando en el carro chico y preparas el numerito.

SALAS.—¿Cómo voy a saber?

NAVARRO.—*(Después de pausa. Ríe.)* Yo no puedo salir a hacerte la seña; pero como las gentes de éste van a estar pendientes, me arreglaré para que entre Salinas. Cuando lo veas entrar, vuelvas.

SALAS.—Bueno.

NAVARRO.—Nada más que háganlo todo bien. Apenas suceda la cosa, deshagan a balazos al loco ese. Recuerda bien lo del crucifijo y los escapularios.

---

[42] Apuro, temor excesivo.

SALAS.—Eso ya está listo. Entonces Salinas es la señal.

NAVARRO.—Sí, cuando entre. Si no entra, me esperas con León.

SALAS.—Bueno.

NAVARRO.—Vete ya. *(Ríe.)* No vayan a creer que estamos conspirando.

(SALAS *sale por la derecha.* NAVARRO *dirige una mirada circular a la pieza y una sonrisa burlona aparece en sus labios cuando mira el cartel. Se acerca a él sonriendo, se detiene, alza la mano y da un papirotazo al retrato. Se oyen pasos en la escalera:* NAVARRO *se vuelve y aguarda. Un momento después aparecen* CÉSAR *Rubio y* ESTRELLA *por la izquierda. Los dos antagonistas se encuentran al centro frente a frente. Se miden con burla silenciosa.* CÉSAR *es el primero que habla.)*

CÉSAR.—¿Qué hay, Navarro?

NAVARRO.—¿Qué hay, César?

CÉSAR.—Déjenos solos, licenciado. Nos vamos dentro de unos minutos. (NAVARRO *ríe entre dientes.* ESTRELLA *sale después de mirarlos. Cuando quedan solos habla* CÉSAR.) ¿No te sientas?

NAVARRO.—¿Por qué no?

(Se dirige al sofá de tule. CÉSAR *lo sigue. Se sientan.)*

CÉSAR.—¿De qué se trata, pues?

NAVARRO.—Perdóname, no me deja hablar la risa.

CÉSAR.—*(Altivamente.)* ¿Cómo?

NAVARRO.—Te viene grande la figura de César Rubio, hombre. No sé cómo has tenido el descaro..., el valor de meterte en esta farsa.

CÉSAR.—¿Qué quieres decir?

NAVARRO.—Te llamas César y te apellidas Rubio, pero eso es todo lo que tienes de general. No te acuerdas de que te conocí desde niño.

CÉSAR.—Hasta los viejos del pueblo me han reconocido.

NAVARRO.—Claro. Se acuerdan de tu cara, y cuando quieren nombrarte no tienen más remedio que decir César Rubio. ¡Bah! Ahorremos palabras. A mí no me engañas.

189

César.—*(Con desprecio.)* ¿Es eso todo lo que tienes que decirme?

Navarro.—También quiero decirte que no seas tonto, que te retires de esto. (César *no contesta.)* Te puedes arrepentir muy tarde. *(Silencio de* César.) Tú no conoces la política, César. Esto no es la universidad de México. Aquí rompemos algo más que vidrios y quemamos algo más que cohetes.

César.—¿Qué te propones?

Navarro.—Te voy a denunciar en los plebiscitos. Cuando vean que no eres más que un farsante, que estás copiando los gestos de un muerto...

César.—¡Imbécil! No puedes luchar contra una creencia general. Para todo el Norte soy César Rubio. Mira ese retrato, por ejemplo: se parece a mí y se parece al otro, fíjate bien. ¿No recuerdas?

Navarro.—Te denunciaré de todas maneras.

César.—¿Por qué no te atreves a mirar el retrato? Anda y denúnciame. Anda y cuéntale al indio que la virgen de Guadalupe es una invención de la política española. Verás qué te dice. Soy el único César Rubio porque la gente lo quiere, lo cree así.

Navarro.—Eres un impostor barato. Se te ha ocurrido lo más absurdo. Aquí podías presumir de sabio sin que nadie te tapara el gallo[43], ¡y te pones a presumir de general!

César.—Igual que tú.

Navarro.—¿Qué dices?

César.—Digo: igual que tú. Eres tan poco general como yo o como cualquiera. (Miguel *entra apenas en este momento sin que se le haya sentido bajar. Al oír las voces se detiene, retrocede y desaparece sin ser visto, pero desde este momento asomará incidentalmente la cabeza varias veces.)* ¿De dónde eres general tú? César Rubio te hizo teniente porque sabías robar caballos; pero eso es todo. El viejo caudillo[44], ya sabes cuál, te hizo divisionario porque ayudaste a matar a todos los católicos

---

[43] Juega aquí con dos expresiones familiares: «haber gallo tapado» que significa «haber gato encerrado», y «matarle el gallo a uno» que significa: «callarlo; taparle la boca, ponerlo fuera de combate».

[44] Probable alusión al general Venustiano Carranza.

que aprehendían. No sólo eso...: le conseguiste mujeres. Ésa es tu hoja de servicios.

NAVARRO.—*(Pálido de rabia.)* Te estás metiendo con cosas que...

CÉSAR.—¿No es cierto? Todas las noches te tomabas una botella entera de coñac para poder matar personalmente a los detenidos en la Inspección. Y si nada más hubiera sido coñac...

NAVARRO.—¡Ten cuidado!

CÉSAR.—¿De qué? Puede que yo no sea el gran César Rubio. Pero ¿quién eres tú? ¿Quién es cada uno en México? Dondequiera encuentras impostores, impersonadores, simuladores; asesinos disfrazados de héroes, burgueses disfrazados de líderes; ladrones disfrazados de diputados, ministros disfrazados de sabios, caciques disfrazados de demócratas, charlatanes disfrazados de licenciados, demagogos disfrazados de hombres. ¿Quién les pide cuentas? Todos son unos gesticuladores hipócritas.

NAVARRO.—Ninguno ha robado, como tú, la personalidad de otro.

CÉSAR.—¿No? Todos usan ideas que no son suyas; todos son como las botellas que se usan en el teatro: con etiqueta de coñac, y rellenas de limonada; otros son rábanos o guayabas: un color por fuera y otro por dentro. Es una cosa del país. Está en toda la historia, que tú no conoces. Pero tú, mírate, tú. Has conocido de cerca a los caudillos de todos los partidos, porque los has servido a todos por la misma razón. Los más puros de entre ellos han necesitado siempre de tus manos para cometer sus crímenes, de tu conciencia para recoger sus remordimientos, como un basurero. En vez de aplastarte con el pie, te han dado honores y dinero porque conocías sus secretos y ejecutabas sus bajezas.

NAVARRO.—*(Con furia.)* No se trata de mí, sino de ti, un maestrillo mediocre, un fracasado que nada pudo hacer por sí mismo..., ni siquiera matar, y que sólo puede vivir tomando la figura de un muerto. Ése es un gesto superior a todos. De ti, a quien voy a denunciar hoy y a poner en ridículo aunque sea el último acto de mi vida. ¡Estás a tiempo de retroceder, César! Hazlo, déjame el campo libre, no me provoques.

191

CÉSAR.—¿Y quién eres tú para que yo te tema? No soy César
Rubio. *(La cara angustiada de* MIGUEL *aparece un momento.)*
Pero sé que puedo serlo, hacer lo que él quería. Sé que puedo hacer bien a mi país impidiendo que lo gobiernen los
ladrones y los asesinos como tú..., que tengo en un solo día
más ideas de gobierno que tú en toda tu vida. Tú y los tu-
yos están probados ya y no sirven..., están podridos; no sirven para nada más que para fomentar la vergüenza y la hipocresía de México. No creas que me das miedo. Empecé
mintiendo, pero me he vuelto verdadero, sin saber cómo,
y ahora soy cierto. Ahora conozco mi destino: sé que debo
completar el destino de César Rubio.
NAVARRO.—*(Levantándose.)* Allá tú; pero no te quejes luego,
porque hoy todo el pueblo, todo el Estado, todo el país,
van a saber quién eres.
CÉSAR.—*(Levantándose.)* Denúnciame, eso es. No podrías es-
coger un camino más seguro para destruirte tú solo.
NAVARRO.—¿Qué quieres decir?
CÉSAR.—¿Te interesa, eh? Dime una cosa: cómo vas a probar
que yo no soy el general César Rubio?

(MIGUEL *asoma y oculta la cabeza entre las manos.)*

NAVARRO.—Ya lo verás.
CÉSAR.—Me interesa demasiado para esperar. A mi vez, debo
advertirte de paso que nadie creerá palabra de lo que tú di-
gas. Estás demasiado tarado, te odian demasiado. ¿Cómo
vas a probar que César Rubio murió en 1914?
NAVARRO.—De modo irrefutable.
CÉSAR.—Es lo que yo creía. Puedes irte y probarlo. Es posible
que acabes conmigo; pero acabarás contigo también.
NAVARRO.—Explícate.
CÉSAR.—¿Para qué? ¿No estás tan seguro de ti...?
NAVARRO.—Estoy tan seguro, que sé que te destruiré hoy.
CÉSAR.—¿Sí? *(Toma aliento.)* ¿Dices que vas a probar de modo
irrefutable la muerte de César Rubio?
NAVARRO.—Sí.
CÉSAR.—*(Sentándose.)* Si supieras historia, sabrías que es difí-
cil eso.

192

NAVARRO.—Lo probaré.

CÉSAR.—Sólo podrías hacerlo si hubieras sido testigo presencial de ella.

NAVARRO.—Lo fui.

CÉSAR.—¿Por qué no lo salvaste, entonces?

NAVARRO.—No fue posible..., eran demasiados contra nosotros.

CÉSAR.—Ése fue el parte oficial que inventaron. Mientes.

NAVARRO.—En la balacera...

CÉSAR.—No hubo balacera.

NAVARRO.—¿Qué?

CÉSAR.—No hubo más que un asesinato. Fue la primera vez en su carrera que se tomó una botella entera de coñac para que no le temblara el pulso.

NAVARRO.—¡No es verdad! ¡No es verdad!

CÉSAR.—¿Por qué niegas antes de que yo lo diga?

NAVARRO.—*(Tembloroso.)* No he negado.

CÉSAR.—Te tranquilizaste demasiado pronto cuando me viste, el día que vino todo el pueblo. Hace cuatro semanas. Pero cuando yo salía, parecía que ibas a desmayarte. Habías tenido dudas, remordimientos, miedo...

NAVARRO.—¿Yo? ¿Por qué había de...? Eres un imbécil. No sabes lo que dices.

CÉSAR.—*(Levantándose con una terrible grandeza.)* Tú dejaste ciego de un tiro al asistente Canales. ¿Lo recuerdas?

NAVARRO.—¡Mentira!

CÉSAR.—Tú mataste al capitán Solís, quien siempre envidiaste porque César Rubio lo prefería.

NAVARRO.—¡Te digo que mientes!

CÉSAR.—*(Imponente.)* ¡Tú mataste a César Rubio!

NAVARRO.—¡No!

CÉSAR.—Hubieras debido matar a Canales; o cortarle la lengua. Está vivo y yo sé dónde está. Por este crimen te hicieron coronel.

NAVARRO.—¡Es una calumnia estúpida! Si tan seguro estás de eso, ¿por qué no se lo contaste a tu gringo?

CÉSAR.—Porque creía yo entonces que iba a necesitarte. No te necesito. Ve y denúnciame. Yo daré las pruebas, todas las pruebas de que dices la verdad..., no puedo hacer más por

193

un antiguo amigo. (NAVARRO *se deja caer abatido en un sillón.* CÉSAR *lo mira y continúa.*) ¿Te creías muy fuerte? ¿Qué dijiste? Dijiste: este maestrillo de escuela es un pobre diablo que quiere mordida[45]. Le daré un susto primero y un hueso después. Porque no lo niegues, me lo ha dicho quien lo sabe: venías a ofrecerme la universidad regional. Yo siento no poder ofrecértela a ti, que no sabes ni escribir ni sumar. Ahora, vamos a los plebiscitos, pase lo que pase.

NAVARRO.—*(Reaccionando.)* Bueno, si tú me denuncias te pierdes igualmente.

CÉSAR.—Así no me importa. Pero tú callarás. Mi crimen es demasiado modesto junto al tuyo, y soy generoso. Te doy veinticuatro horas para que te vayas del país, ¿entiendes? Tienes dinero suficiente: has robado bastante.

NAVARRO.—No me iré. Prefiero...

CÉSAR.—Si no lo haces, probaré que me asesinaste, y probaré también que me salvé. Puedo hacerlo; no creas que no he pensado en esta entrevista, en esta contingencia. Te he esperado todos los días desde hace una semana, y he tomado mis precauciones. *(Mira su reloj.)* Es hora de ir a los plebiscitos.

NAVARRO.—*(Después de una pausa torturada.)* Como quieras..., pero te advierto lealmente que yo también he tomado mis precauciones, y que es mejor que no vayas a los plebiscitos.

CÉSAR.—¿Qué sabes tú lo que es lealtad? La palabra debería explotarte en los labios y deshacerte.

NAVARRO.—Puede costarte la vida.

CÉSAR.—Lo mismo que a ti. Es el precio de este juego.

NAVARRO.—Como quieras, entonces. Pero estás a tiempo..., hasta para la universidad, mira. Podemos arreglarnos. Déjame pasar esta vez..., después gobernarás tú. Entre los dos lo haremos todo.

CÉSAR.—Imbécil. No me sorprendería que me asesinaras. Me sorprende que no lo hayas hecho ya.

---

[45] Muy usado en el sentido de prevaricación y corrupción por parte de una autoridad, sobre todo en cuanto a los agentes de tráfico.

NAVARRO.—No soy tan tonto.

CÉSAR.—Vete.

NAVARRO.—*(Se dirige a la puerta. Se vuelve, de pronto.)* Oye...,
quiero que llames aquí a Salinas..., anda buscando pleito.

CÉSAR.—¿Tienes miedo a pelear de frente? Es natural. *(Va a
la puerta. Llama.)* ¡Salinas! (NAVARRO *sonríe para sí.)*

SALINAS.—*(Entrando.)* Mande, general.

CÉSAR.—Estate aquí mientras pasa el *general* Navarro. Creo
que te tiene miedo.

(Se oye dentro el ruido de un automóvil que parte.)

NAVARRO.—Tú solo te has sentenciado, *general* Rubio.

SALINAS.—*(Echando mano a la pistola.)* ¿Mi general?

CÉSAR.—*(Deteniendo su mano.)* No desperdicies tus cartuchos.
Échale un poco de sal para que se deshaga.

(NAVARRO, después de una última mirada, sale diciendo:)

NAVARRO.—Será como tú lo has querido.

*(Mutis por la derecha. Un momento después se oye el ruido de
automóviles en marcha, que se alejan.)*

SALINAS.—Mi general, éste lleva malas intenciones. Yo creo
que habría que pararle los pies[46]. Deme usted permiso.

CÉSAR.—No, Salinas, déjalo. No puede hacer nada. *(Va al centro y ve a* MIGUEL *que sale, pálido, del marco de la puerta izquierda. Se oyen pasos en la escalera.)* ¡Miguel! ¿Estabas aquí?

MIGUEL.—*(Con voz extraña.)* No..., te traía tu sombrero. *(Se
lo tiende.)*

CÉSAR.—¿Qué tienes tú?

MIGUEL.—Nada.

(Al mismo tiempo que aparece ELENA *en la puerta izquierda,*
GUZMÁN, TREVIÑO *y* ESTRELLA *entran por la derecha.)*

---

[46] Sujetarlo, detenerlo. Se dice también «pararle a uno las patas» o «pararle
el gallo» para hacerle frente.

CÉSAR.—Es hora de irnos, muchachos.

ELENA.—César, quiero hablarte un momento.

CÉSAR.—Tendrá que ser muy rápido, Elena. Por eso me despedí de ti antes. Vayan preparando los coches, muchachos, los alcanzaré en un instante. (MIGUEL *se dirige a la izquierda.*) ¿Tú no vienes con nosotros, Miguel?

MIGUEL.—*(Se detiene, vacila visiblemente. Al fin, con un esfuerzo.)* No *(Todos lo miran. Comprende que debe dar una explicación.)* No me siento bien. *(Rápido.)* Si estoy mejor dentro de un rato, los alcanzaré allá.

(Evita hablar directamente a su padre; no lo mira. Termina de hablar apenas cuando sale por la izquierda sin esperar más.)

CÉSAR.—Vamos, muchachos. Adelántense.

GUZMÁN.—*(Conforme salen.)* Vamos a levantar una buena escolta. No me fío de Navarro. Se reía al subir a su coche.

(Salen él, TREVIÑO *y* SALINAS, *hablando entre ellos.)*

ESTRELLA.—*(Se detiene en el umbral y regresa unos pasos.)* ¿Puedo preguntar cómo resultó la entrevista, mi general?

CÉSAR.—Muy bien. Tranquilícese, licenciado. Ande.

(ESTRELLA *sale.)*

ELENA.—¿Qué entrevista? ¿Entonces es verdad que Navarro ha estado aquí? Eso es lo que quería preguntarte.

CÉSAR.—Sí, aquí estuvo.

ELENA.—¿Qué quería?

CÉSAR.—Ganar, naturalmente. Pero perdió.

ELENA.—César, no vayas a los plebiscitos.

CÉSAR.—*(Riendo.)* Me recuerdas a la mujer de César..., del romano. *(Se acerca a ella y le toma las manos.)* ¿Tienes miedo?

ELENA.—Sí..., es la verdad. Renuncia a todo esto, César, Navarro puede...

CÉSAR.—Navarro no puede nada ya. Aquí perdió los dientes y las uñas.

ELENA.—Puede matarte todavía.

196

CÉSAR.—No es tan tonto.

ELENA.—¿Por qué habrías de arriesgar tu vida por una mentira? No lo hagas, César, vayámonos de aquí, a vivir en paz.

CÉSAR.—Te dije: todo, contigo. ¿Lo recuerdas? Hablas de
una mentira. ¿Cuál?

ELENA.—¿No lo sabes?

CÉSAR.—Es que ya no hay mentira: fue necesaria al principio, para que de ella saliera la verdad. Pero ya me he vuelto verdadero, cierto, ¿entiendes? Ahora siento como si fuera el otro..., haré todo lo que él hubiera podido hacer, y
más. Ganaré el plebiscito..., seré gobernador, seré presidente tal vez...

ELENA.—Pero no serás tú.

CÉSAR.—¿Es decir que no crees en mí todavía? Precisamente
seré yo, más que nunca. Sólo los demás creerán que soy
otro. Siempre me pregunté antes por qué el destino me había excluido de su juego, por qué nunca me utilizaba para
nada: era como no existir. Ahora lo hace. No puedo quejar-
me. Estoy viviendo como había soñado siempre. A veces
tengo que verme en el espejo para creerlo.

ELENA.—No es el destino, César, sino tú, tus ambiciones.
¿Para qué quieres el poder?

CÉSAR.—Te sorprendería saberlo. No haré más daño que
otro, y quizás haré algún bien. Es mi oportunidad y debo
aprovecharla. Julia parecerá bonita..., ya ahora lo parece,
cuando me mira; será cortejada por todos los hombres. Miguel podrá hacer algo brillante, amplio, si quiere. Tú... *(la
abraza)* será como si te hubieras vuelto a casar, con un
hombre enteramente nuevo..., llevarás la vida que escojas.
Tendrás, al fin, todo lo que quieras.

ELENA.—Yo no quiero nada. Te suplico que no vayas a ese
plebiscito.

CÉSAR.—No podría dejar de ir más que muerto. Ahora todo
está empezado y todo tiene que acabar. No puedo hacer
nada más que seguir, Elena; soy el eje en la rueda. Pero
siento que el muerto no es César Rubio, sino yo, el que era
yo..., ¿entiendes? Todo aquel lastre, aquella inercia, aquel
fracaso que era yo. Dime que entiendes..., y espérame. *(La
abraza, la besa y se cala el sombrero.)*

ELENA.—Por última vez, César. ¡No vayas!

CÉSAR.—¿De qué tienes miedo?

ELENA.—No te lo diré: podría yo atraerte el mal así.

CÉSAR.—*(Sonriendo.)* Hasta dentro de un rato, Elena. Cuando vuelva, serás la señora gobernadora. *(La mira un momento, y sale. Dentro, lo acoge un vocerío entusiasta. ELENA permanece en el sitio, mirando hacia la puerta. De pronto CÉSAR reaparece.)* Es bueno que hables con Miguel. Es la única inquietud que me llevo: estuvo muy extraño hace un rato; me parece que sabe algo. Tranquilízalo, Elena, es mi hijo. *(Hace un saludo final con la mano y se va.)*

(ELENA *sola va hacia el cartel. Lo mira pensativamente un momento. Se oye a* MIGUEL *en la escalera.* ELENA *se vuelve.)*

MIGUEL.—Mamá, tengo que hablarte.

ELENA.—Tengo una inquietud tan grande por tu padre, hijo. No viviré hasta que regrese.

MIGUEL.—Si triunfa, cuando regrese yo empezaré a dejar de vivir.

ELENA.—¿Por que dices eso?

MIGUEL.—*(Brutal.)* ¿Por qué ha hecho esto mi padre?

ELENA.—*(Sentándose en el sofá.)* ¿Hecho qué?

MIGUEL.—Esta mentira..., esta impostura.

ELENA.—¿Qué dices?

MIGUEL.—Sé que no es César Rubio. ¿Por qué tuvo que mentir?

ELENA.—Podría decirte que no ha mentido.

MIGUEL.—Podrías, en efecto. ¿Y qué? No me convencerías después de lo que he oído.

ELENA.—¿Qué es lo que has oído, Miguel?

MIGUEL.—La verdad. Se la oí decir a Navarro.

ELENA.—¡Un enemigo de tu padre! ¿Cómo pudiste creerlo?

MIGUEL.—También se lo oí decir a otro enemigo de mi padre..., al peor de todos. A él mismo.

ELENA.—¿Cuándo?

MIGUEL.—Hace un momento, cuando discutía con Navarro. Miente ahora tú también si quieres.

198

ELENA.—¡Miguel!

MIGUEL.—¿Cómo voy a juzgar a mi padre..., y a ti..., después de esto?

ELENA.—*(Reaccionando con energía.)* ¿A juzgarnos? ¿Y desde cuándo juzgan los hijos a sus padres?

MIGUEL.—Quiero, necesito saber por qué hizo esto. Mientras no lo sepa no estaré tranquilo.

ELENA.—Cuando tú naciste, tu padre me dijo: todo lo que yo no he podido ser, lo que no he podido hacer, todo lo que a mí me ha fallado, mi hijo lo será y lo hará.

MIGUEL.—Eso es el pasado. No vayas a decirme ahora que mintió por mí, para que yo hiciera algo.

ELENA.—Es el presente, Miguel. Examínate y júzgate, a ver si has correspondido a sus ilusiones.

MIGUEL.—¿Ha respetado él las mías? Todavía al llegar a esta casa le pedí que no fuera a hacer nada deshonesto, nada sucio. Tenía yo derecho a pedírselo, y él lo prometió.

ELENA.—Nada sucio, nada deshonesto ha hecho.

MIGUEL.—¿Te parece poco? Robar la personalidad de otro hombre, apoyarse en ella para satisfacer sus ambiciones personales.

ELENA.—Todavía hace un momento se preocupaba por ti; pensaba que a su triunfo tú podrías hacer lo que quisieras en la vida. ¿Es así como le pagas?

MIGUEL.—Lo que no quiero es su triunfo..., no tiene derecho a triunfar con el nombre de otro.

ELENA.—Toda su vida ha deseado hacer algo grande..., no sólo para él, sino para mí, para ustedes.

MIGUEL.—¿Entonces por eso lo justificas? ¿Porque te dará dinero y comodidades?

ELENA.—No conoces a tu madre, Miguel. Tu padre no perjudica a nadie. El otro hombre ha muerto, y él puede hacer mucho bien en su nombre. Es honrado.

MIGUEL.—¡No! ¡No es honrado, y eso es lo que me lastima en esto. En la miseria, yo le hubiera ayudado..., lo hubiera hecho todo por él. Así..., no quiero volver a verlo.

ELENA.—*(Asustada.)* Eso es odio, Miguel.

MIGUEL.—¿Qué esperabas que fuera?

ELENA.—No puedes odiar a tu padre.

MIGUEL.—He hecho todos los esfuerzos... primero contra la mediocridad, contra la mentira mediocre de nuestra vida. Toda mi infancia, gastada en proteger una apariencia de cosas que no existían. Luego en la universidad, mientras él defendía el cascarón, la mentira...

ELENA.—¡Miguel! ¿Te olvidas de que tú...?

MIGUEL.—No. Pero ahora esto. Es demasiado ya. Con razón me sentía yo inquieto, incómodo, avergonzado, cada vez que oía los vivas, los discursos. Ha llegado a representar a la perfección todas las mentiras que odio, y esto es lo que ha hecho por mí, por su hijo. Nunca podré oír ya el nombre de César Rubio sin enrojecer de vergüenza.

ELENA.—*(Levantándose agitada.)* No podría decirte cuánto me torturas, Miguel. Debe de haber algo descompuesto en ti para darte estos pensamientos.

MIGUEL.—¿Por qué hizo esto mi padre?

ELENA.—¿No has dicho tú mismo que por sus ambiciones, no has pensado ya que por las mías? ¿No has dicho que no creerás lo contrario de lo que crees ahora? No tengo nada que decirte, porque no lo comprenderías. No te reconozco, eso es todo..., no puedo creer que seas el mismo que llevé en mí.

MIGUEL.—Mamá, ¿no comprendes tú tampoco, entonces?

ELENA.—Comprendo que te llevaba todavía en mí, que seguías en mi vientre, y que de pronto te arrancas de él.

MIGUEL.—¿No te das cuenta de que quiero la verdad para vivir; de que tengo hambre y sed de verdad, de que no puedo respirar ya en esta atmósfera de mentira?

ELENA.—Estás enfermo.

MIGUEL.—Es una enfermedad terrible, no creas que no lo sé. Tú puedes curarme..., tú puedes explicarme...

ELENA.—*(Lo mira con una gran piedad.)* Siéntate, Miguel. *(Ella se sienta en el sofá; él a sus pies.)*

MIGUEL.—*(Mientras se sienta.)* ¿Qué podrás decirme que borre lo que oí decir a mi propio padre?

ELENA.—Puedo decirte que tu padre no mintió.

MIGUEL.—*(Irguiendo violentamente la cabeza.)* Si tú mientes, mamá, se me habrá acabado todo.

ELENA.—*(Enérgica.)* Tu padre no mintió. Él nunca dijo a nadie: Yo soy el general César Rubio. A nadie..., ni siquiera

200

a Bolton. Él lo creyó, y tu padre lo dejó creerlo; le vendió papeles auténticos para tener dinero con que llevarnos a todos nosotros a una vida más feliz.

MIGUEL.—Pero me había prometido... No puedo creerlo.

ELENA.—¿No estuviste tú aquí la tarde que vinieron los políticos? ¿Le oíste decir una sola vez que él fuera el general César Rubio? (MIGUEL *mueve la cabeza en silencio.*) Entonces, ¿por qué lo acusas? ¿Por qué has dicho todas esas horribles cosas?

MIGUEL.—(*Nuevamente apasionado.*) ¿Por qué aceptó entonces toda esta farsa, por qué no se opuso a ella? No dijo: Yo soy el general César Rubio, pero tampoco dijo que no lo fuera. ¡Y era tan fácil! Una palabra..., y ha ido más lejos aún..., ha llegado a engañarse, a creer que es un general, un héroe... Es ridículo. ¿Cómo pudo...? Si yo tuviera un hijo, le daría la verdad como leche, como aire.

ELENA.—Si tuvieras un hijo, lo harías desgraciado. Ya te he dicho por qué aceptó tu padre. Hará bien en el gobierno, es su oportunidad, la cosa que él había soñado siempre; podrá dar a sus hijos lo que no tuvieron antes. ¿Qué harías tú, en su lugar, si tus hijos te creyeran un fracasado, y se te presentara la ocasión de hacer algo... grande?

MIGUEL.—Nada es más grande que la verdad. Mi padre gobernará en lugar de los bandidos..., él mismo lo dijo; pero esos bandidos por lo menos son ellos mismos, no el fantasma de un muerto.

ELENA.—No tomó su nombre siquiera..., se llamaban igual, nacieron en el mismo pueblo...

MIGUEL.—No..., no..., así no. Lo prefería yo cuando estuvo frente a mí en la universidad.

ELENA.—Eres tan joven, Miguel. Tus juicios, tus ideas, son violentos y duros. Los lanzas como piedras y se deshacen como espuma. Antes, en la universidad, acusabas a tu padre de ser un fracasado; ahora...

MIGUEL.—Era mejor aquello. Todo era mejor que esto. Ahora lo veo.

(JULIA *entra por la izquierda. Visiblemente ha estado oyendo parte de esta conversación.* MIGUEL *se levanta y va hacia la ventana.*)

201

Julia.—¿Qué pasa, mamá?

Elena.—Nada.

Julia.—No me lo niegues.

Miguel.—*(Volviéndose, sin dejar la ventana.)* Has estado oyendo, ¿verdad? Escondida en la escalera...

Julia.—Así oíste tú lo que no debías oír: la conversación entre papá y Navarro. Te vi desde arriba. ¿Por qué no saliste entonces? ¿Por qué no te atreviste a decirle estas cosas a papá, frente a frente?

Elena.—¡Julia!

Julia.—Para mí, como quiera que sea, papá será siempre un hombre extraordinario..., un héroe. Si lo hubieras observado en estos días, dando órdenes, hablando al pueblo, sometiendo a los jefes, habrías visto que nació para esto. Tuvo que esperar mucho tiempo, pero merecía tener esta ocasión de...

Miguel.—Eres mujer. ¿Cómo no había de despertar tus peores instintos el truco del héroe? Eso es lo que te tiene seducida. Si no lo observé a él, era porque te observaba a ti. Para quien no supiera que eras su hija, pudiste pasar por una enamorada de él. Y además, claro, su heroísmo te dará lo que has deseado siempre: trajes, joyas, automóviles.

Elena.—¡Miguel, te prohíbo...!

Julia.—Pero si lo que habla en ti es la inferioridad, la envidia...

Miguel.—¡Yo no he mentido!

Julia.—¡Él era un buen profesor, tú, un mal estudiante! Ahora, en el fondo, querrías estar en su lugar, ser tú el héroe. Pero te falta mucho.

Miguel.—¡Estúpida! ¿No comprendes entonces lo que es la verdad? No podrías..., eres mujer; necesitas de la mentira para vivir. Eres tan estúpida como si fueras bonita.

Elena.—*(Interponiéndose entre ellos.)* ¡Basta, Miguel!

Julia.—No creas que me lastimas con eso. ¿Qué es mi fealdad junto a tu cobardía? Porque tu afán de tocar la verdad no es más que una cosa enfermiza, una pasión de cobarde. La verdad está dentro, no fuera de uno.

Elena.—¡Julia!

Miguel.—Créelo así, si quieres. Yo seguiré buscando la verdad.

202

(Pausa. JULIA *va hacia la mesa, toma los telegramas y los lee uno por uno, con satisfacción.* ELENA *se sienta.* MIGUEL, *clavado ante la ventana, mira hacia afuera.)*

JULIA.—Mira, mamá, del Presidente. *(Se lo lleva.)*

ELENA.—*(Toma el telegrama, pero no lo mira.)* Miguel...

MIGUEL.—¿Mamá?

ELENA.—¿Oíste toda la conversación con Navarro?

MIGUEL.—Casi toda.

ELENA.—Entonces debes decirme...

MIGUEL.—No recuerdo nada..., la verdad que lo que oí me llenó los oídos de tal modo que no pude oír otra cosa ya.

ELENA.—¿Amenazó Navarro a tu padre?

MIGUEL.—Supongo que sí.

ELENA.—Recuerda..., es necesario que recuerdes. Nunca he estado tan inquieta por él. ¿Qué dijo? ¿En qué forma lo amenazó?

MIGUEL.—¿Qué importancia tiene? Mi padre no puede perder ahora.

ELENA.—¡Miguel!, por favor, piensa, hazlo por mí.

MIGUEL.—*(Después de una pausa.)* Ahora recuerdo. Al despedirse, Navarro dijo..., sí: «Tú solo te has sentenciado... Será como tú lo has querido».

ELENA.—*(Levantándose.)* Miguel, tu padre está en peligro, y tú lo sabías y te has quedado aquí a decir esas cosas de él...

MIGUEL.—*(Adelantando un paso.)* ¿No te das cuenta de cómo me sentía yo..., de cómo me siento?

ELENA.—¡Tu padre está en peligro!

MIGUEL.—¿No lo buscó él? ¿No mintió?

ELENA.—Debes ir pronto, Miguel. Debes cuidarlo. (MIGUEL *vacila.)*

JULIA.—No se atreve, mamá, eso es todo. Iré yo.

ELENA.—Yo lo sentía, lo sentía. *(Se oprime las manos.)* Navarro va a tratar de matarlo.

(JULIA *corre hacia la puerta, a la vez que:)*

MIGUEL.—*(Reaccionando bruscamente.)* Tienes razón, mama. Perdóname por todo. Iré..., trataré de cuidarlo; pero después... Seremos mi padre y yo, frente a frente. *(Sale corriendo.)*

203

JULIA.—No pasará nada, mamá. ¡Tengo tanta confianza en él ahora!

ELENA.—No sé..., no sé. En el fondo, Miguel...

JULIA.—Miguel está loco, mamá..., busca la verdad con fanatismo, como si no existiera. No le hagas caso.

ELENA.—Está en un estado tal... Y tú también. Todas estas cosas que se han dicho ustedes dos...

JULIA.—*(Con una sonrisa.)* Así era de niño, mamá. Y así era como Miguel se decidía a pelear, para demostrarme que no era un cobarde.

ELENA.—Has sido tan dura...

JULIA.—Pero a nadie más le dejaría yo decirle eso.

ELENA.—No sé..., no sé... *(Un poco hipnotizada por la inquietud.)* ¿Qué hora es?

JULIA.—Mediodía, mamá. Fíjate en el sol. Ahora ya puedo saber la hora por el sol.

(ELENA, *un poco sonámbula, va hacia la ventana. Allí abre los brazos de modo que toque los dos extremos del marco, y con la cabeza echada hacia atrás mira intensamente hacia afuera.* JULIA *sigue leyendo telegramas y subrayando su interés con pequeños gestos de satisfacción.* ELENA *parece una estatua.* JULIA *la mira.)*

JULIA.—Tranquilízate, mamá, por favor. Dentro de poco estará aquí y seremos otros... Hasta Miguel.

ELENA.—*(Sin volverse.)* No puedo. Hace un momento sentí el sol como un golpe en el pecho.

JULIA.—Hazlo por él. No le gustaría verte así.

ELENA.—Miguel tiene razón. Nada bueno puede salir de una mentira. Y, sin embargo, yo no he podido detener a César.

JULIA.—No hay mentira, mamá. Todo el pasado fue un sueño, y esto es real. No me importan los trajes ni las joyas, como cree Miguel, sino el aire en que viviremos. El aire del poder de mi padre. Será como vivir en el piso más alto, de aquí, primero; de todo México después. Tú no lo has oído hablar en los mítines, no sabes todo lo que puede dar él, que fue tan pobre. Y todo lo que puede tener.

ELENA.—Yo no quiero nada, hija mía, sino que él viva. Y tengo miedo.

JULIA.—Yo no; es como la luz, para mí. Todos pueden verlo, nadie puede tocarlo. Y será lindo, mamá, poder hacer todas las cosas, pensarlas con alas; no como antes, que todos los deseos, todos los sueños, parecían reptiles encerrados en mí.

ELENA.—*(Se sienta.)* Quizá piensas en tu amor, y hablas así por eso. ¿Esperas que ese muchacho te quiera viéndote tan alta? Yo no lo aceptaría entonces: sería interés.

JULIA.—Yo no lo quiero ya, mamá. Lo sé desde hace dos semanas. Lo que amaba yo en él era lo que no tenía a mi alrededor ni en mí. Pero ahora lo tengo, y él no importa. Tendré que buscar en otro hombre las otras cosas que no tenga. Querer es completarse.

ELENA.—Tengo miedo, Julia, Todas estas semanas, mientras César iba y venía por el Estado, yo pensaba en la noche que el hombre a quien yo quise ha desaparecido, y que hay otro hombre, formándose apenas, a quien yo no quiero todavía. Si eligen a César...

JULIA.—Está elegido ya, mamá, ¿no lo ves? Un elegido.

ELENA.—Si eligen a César, será el gobernador. Lo rodeará gente a todas horas que lo ayudará a vestirse y lo alejará de mí. Tendrá tanta ropa que no podrá sentir cariño ya por ninguna prenda..., y yo no tendré ya que remendar, que mantener vivas sus camisas ni que quitar las manchas de su traje. De un modo o de otro, será como si me lo hubieran matado. Y yo quiero que viva. *(Se levanta violentamente.)* Es preciso que no lo elijan, Julia, es preciso.

JULIA.—¿Estás loca? ¿No comprendes todo lo que esto significa para todos? ¿No has sentido nunca deseos de vivir en la luz? Será una vida nueva para todos.

ELENA.—Hablas como él.

JULIA.—Yo preparé su ropa cada mañana, en tal forma que no pueda tocar su corbata ni sentir su traje sobre su cuerpo sin tocarme, sin sentirme a mí. Contigo consultará sus cosas, sus planes, sus decisiones, y cuando las realice te estará viendo y tocando.

ELENA.—No me ha hecho caso ahora... no ha querido hacerme caso. ¿Por qué? ¿Por qué? No. Que lo derroten,

205

aunque lo denuncien..., que se burle de él y de su mentira toda la gente. Miguel tiene razón. Que lo injurien, lo escupan...

JULIA.—¡No hables así! ¿Por qué hablas así?

ELENA.—Yo lo consolaré de todo. Quiero que viva.

JULIA.—Quieres que muera.

ELENA.—Quiero que muera el fantasma y que viva él; que muera su muerte natural, propia. Que viva. *(Pausa. En el silencio del mediodía se oye un claxon de automóvil, bastante próximo.* ELENA *se sobresalta.)* ¡Un coche!

JULIA.—*(Corriendo a la ventana, desde allí.)* Son Guzmán y Miguel, mamá.

ELENA.—¿Vienen otros coches?

(JULIA *no contesta.* ELENA *queda inmóvil en el centro mirando hacia la puerta.* JULIA *se reúne con ella. Entran* MIGUEL *y* GUZMÁN.)

ELENA.—Miguel... *(Espera.* MIGUEL *baja la cabeza en silencio.)*

JULIA.—¿Qué ha pasado?

GUZMÁN.—*(Jadeante.)* Señora...

ELENA.—¿Han... herido a César? (GUZMÁN *baja la cabeza.)* No... Lo han matado, ¿verdad?

GUZMÁN.—Encontré al muchacho en el camino, señora, corriendo. Ya era tarde.

ELENA.—*(Contenida.)* ¿Cómo fue? ¿Navarro?

GUZMÁN.—Para mí, fue él, señora. Pero allí mataron al que disparó. Bastó un tiro. Apenas acabábamos de llegar, y el general iba a sentarse cuando... En el corazón.

JULIA.—Mamá...

(Le agarra las manos. Es un dolor incrédulo el de las dos, que *va desenvolviéndose y afirmándose poco a poco.)*

ELENA.—¿Dice usted que mataron al hombre que disparó?

GUZMÁN.—El pueblo lo hizo pedazos, señora. *(Ruido de automóviles dentro.)*

206

ELENA.—*(Lenta, con voz blanca.)* Pedazos.

(Se vuelve hacia la pared, muy erguida. JULIA *llora sin extremos, nada más bajando la cabeza y dejando correr sus lágrimas.* MIGUEL *se deja caer en un asiento. Ahora se oyen voces. En el umbral de la puerta aparece* NAVARRO.)*

GUZMÁN.—¡Tú! ¿Cómo te atreves...?
NAVARRO.—*(Avanzando.)* Señora, permítame presentarle mis condolencias más sinceras. Su marido ha sido víctima de un cobarde asesinato.

*(*MIGUEL, *pasando por detrás de ellos, cierra la puerta.)*

GUZMÁN.—Y tan cobarde. Creo que yo tengo idea de quién es el asesino.
MIGUEL.—*(En primer término derecha.)* Yo también.
NAVARRO.—*(Imperturbable.)* El asesino de César Rubio, señora, fue un fanático católico.
GUZMÁN.—¡Fuiste tú!
NAVARRO.—Fue un fanático, como puede probarse. En su cuerpo se encontraron un crucifijo y varios escapularios.
GUZMÁN.—No tiene caso calumniar a nadie. Sabemos de sobra...
ELENA.—*(De hielo.)* Váyase usted, general Navarro. No sé cómo se atreve a presentarse aquí, después de...

(La interrumpe un tumulto creciente, afuera. Las voces se multiplican en un rumor de tormenta. NAVARRO *se inclina, se dirige a la puerta, la abre y sale después de una mirada a la familia. Se escucha un rumor hostil.*
Luego, cada vez más distintamente, voz de NAVARRO *que grita:)*

LA VOZ DE NAVARRO.—¡Camaradas! He venido a decir a la viuda de César Rubio mi indignación ante el vil asesinato de su marido. Aunque hay pruebas de que el asesino fue un católico, no falta quien se atreva a acusarme. *(Murmullo hostil.* GUZMÁN *va a la puerta y sale.)* Estoy dispuesto a defenderme ante los tribunales y a renunciar a mi candidatura hasta que se pruebe mi inocencia...

LA VOZ DE GUZMÁN.—¡Mentira! ¡Mentira! ¡Fue él y todos lo sabemos!

(Murmullo hostil, pero indefinible.)

LA VOZ DE NAVARRO.—No contestaré. César Rubio ha caído a manos de la reacción en defensa de los ideales revolucionarios. Yo lo admiraba. Iba a ese plebiscito dispuesto a renunciar en su favor, porque él era el gobernante que necesitábamos. *(Murmullo de aprobación.)* Pero si soy electo, haré de la memoria de César Rubio, mártir de la revolución, víctima de las conspiraciones de los fanáticos y los reaccionarios, la más venerada de todos. Siempre lo admiré como a un gran jefe. La capital del Estado llevará su nombre, le levantaremos una universidad, un monumento que recuerde a las futuras generaciones... *(Lo interrumpe un clamor de aprobación.)* ¡Y la viuda y los hijos de César Rubio vivirán como si él fuera gobernador! *(Aplausos sofocados.)*

ELENA.—*(Agitando una mano como quebrada.)* Cierra, Miguel. Las puertas, las ventanas, ciérralo todo.

MIGUEL.—No, mamá. Todo el mundo debe saber, sabrá... No podría yo seguir viviendo como el hijo de un fantasma.

ELENA.—*(Deshecha.)* Cierra, Julia. Todo se ha acabado ya.

(JULIA, vencida, se dirige a cerrar la ventana primero, luego la puerta. Penumbra. El rumor exterior se hace menos perceptible.)

MIGUEL.—¡Mamá! *(Solloza sin ruido.)*

ELENA.—Ése es otro hombre. El nuestro... *(No puede seguir. Llaman a la puerta.)* No abras, Julia.

(Tocan nuevamente. MIGUEL abre con lentitud. Entra ESTRELLA; SALINAS y GUZMÁN tras él.)

ESTRELLA.—*(Solemne, con esa especie de alegría de serlo que acompaña a los demagogos.)* Señora, el señor Presidente ha sido informado ya de este triste suceso. (MIGUEL, *vuelto hacia ellos,*

208

escucha.) El cuerpo del señor general Rubio será velado en el palacio de gobierno. Vengo para llevarlos a ustedes allí. Se le tributarán honores locales de gobernador; pero, además, considerando que se trata de un divisionario y de un gran héroe, su cuerpo recibirá honores presidenciales y reposará en la Rotonda de los Hombres Ilustres. Usted, señora, tendrá la pensión que le corresponde. El gobierno revolucionario no olvidará a la familia de su héroe más alto.

ELENA.—Gracias. No quiero nada de eso. Quiero el cuerpo de mi marido. Iré por él. *(Camina hacia la puerta.* JULIA *la sigue.)* Tú quédate.

JULIA.—Mamá, iremos todos. Y se le harán los honores. *(ELENA la mira.)* ¿No comprendes?

SALINAS.—No entiendo, señora...

ESTRELLA.—César Rubio pertenece al pueblo, señora.

GUZMÁN.—*(Detrás de ellos, sañudo.)* Nos pertenece a nosotros para siempre.

JULIA.—¿No comprendes, mamá? Él será mi belleza.

(ELENA hace un esfuerzo para hablar, sin lograrlo. Agita un poco una mano. ESTRELLA *la toma del brazo. Salen,* MIGUEL *queda inmóvil en la escena. Los murmullos y las voces desaparecen en un silencioso homenaje a la viuda. Después de un momento entra* NAVARRO.*)*

MIGUEL.—¿Usted? Tengo que aclarar algo, primero con usted, luego con todo el mundo.

NAVARRO.—*(Brutal.)* ¿Qué es lo que sabe usted?

MIGUEL.—Sé que usted mató a mi padre. *(Con una violencia incontenible.)* Lo sé. ¡Oí su conversación!

NAVARRO.—*(Estremecido.)* ¿Sí? *(Se sobrepone.)* Oiga usted lo que dice el pueblo que presenció los acontecimientos, joven. El asesino fue un católico: puedo probarlo. Mis propias gentes trataron de aprehenderlo.

MIGUEL.—Y para mayor seguridad, lo mataron. Para borrar todas las pruebas. Mató usted a mi padre y a su asesino material, como mató usted a César Rubio. ¡Lo oí todo!

NAVARRO.—*(Turbado y descompuesto.)* Su dolor no lo deja... *(Desafiante de pronto.)* ¡No podría usted probar nada!

209

MIGUEL.—Eso no puedo remediarlo ya. Pero no voy a permitir esta burla: la ciudad César Rubio, la universidad, la pensión. ¡Usted sabe muy bien que mi padre no era César Rubio!

NAVARRO.—¿Está usted loco? Su padre era César Rubio. ¿Cómo va usted a luchar contra un pueblo entero convencido de ello? Yo mismo no luché.

MIGUEL.—Usted mató. ¿Era más fácil?

NAVARRO.—Su padre fue un héroe que merece recordación y respeto a su memoria.

MIGUEL.—No dejaré perpetuarse una mentira semejante. Diré la verdad ahora mismo.

NAVARRO.—Cuando se calme usted, joven, comprenderá cuál es su verdadero deber. Lo comprendo yo, que fui enemigo político de su padre. Todo aquel que derrama su sangre por su país es un héroe. Y México necesita de sus héroes para vivir. Su padre es un mártir de la revolución.

MIGUEL.—¡Es usted repugnante! Y hace de México un vampiro..., pero no es eso lo que me importa... es la verdad, y la diré, la gritaré.

NAVARRO.—*(Se lleva la mano a la pistola.* MIGUEL *lo mira con desafío.* NAVARRO *reflexiona y ríe.)* Nadie lo creerá. Si insiste usted en sus desvaríos, haré que lo manden a un sanatorio.

MIGUEL.—*(Con una frialdad terrible.)* Sí, sería usted capaz de eso. Aunque me cueste la vida...

NAVARRO.—Se reirán de usted. No podría usted quitarle al pueblo lo que es suyo. *(Saluda irónicamente el cartel de* CÉSAR *Rubio.)* Su padre era un gran héroe.

MIGUEL.—Encontraré pruebas de que él no era un héroe y de que usted es un asesino.

NAVARRO.—*(En la puerta.)* ¿Cuáles? Habrá que probar una cosa u otra. Si dice usted que soy un asesino, gente mal intencionada podría creerlo; pero como también piensa usted decir que su padre era un farsante, nadie lo creerá ya. Es usted mi mejor defensor, y su padre era grande, muchacho. Le debo mi elección.

(Sale. Se oye un clamor confuso afuera. Luego, voces que gritan: ¡Viva NAVARRO!*)*

La voz de Navarro.—¡No, no, muchachos! ¡Viva César Rubio!

(Un «viva César Rubio» clamoroso se deja oír. Miguel hace un movimiento hacia la puerta; luego sale rápidamente por la izquierda. Ruido de voces y automóviles en marcha, afuera. Pequeña pausa, al cabo de la cual Miguel reaparece llevando una pequeña maleta. Se dirige a la puerta derecha. De allí se vuelve, descuelga el cartel con la imagen de César Rubio, después de dejar su maleta en el suelo. Dobla el cartel quietamente, y lo coloca sobre el escritorio. Luego empuja con el pie el rollo de carteles, que se abre como un abanico en una múltiple imagen de César Rubio.)

Miguel.—¡La verdad!

(Se cubre un momento la cara con las manos y parece que va a abandonarse, pero se yergue. Entonces toma, desesperado, su maleta. En la puerta se cerciora de que no queda nadie afuera. El sol es cegador. Miguel sale, huyendo de la sombra misma de César Rubio, que lo perseguirá toda su vida.)

TELÓN

Apostilla

Aparte de cortes menores, en la representación fue suprimido el regreso de César Rubio (véase pág. 198), *quedando eliminada la frase:* «Es bueno que hables con Miguel. Es la única inquietud que me llevo: estuvo muy extraño hace un rato; me parece que sabe algo. Tranquilízalo, Elena». *Sin embargo, para no prescindir del movimiento psicológico en este parlamento, el segundo que pronuncia César Rubio en su escena con Elena* (véase pág. 198) *quedó modificado como sigue:* «... Miguel... es la única inquietud que llevo: creo que sabe algo, tranquilízalo. Miguel podrá hacer algo brillante, amplio, si quiere», etcétera.

Las escenas finales del tercer acto, aunque fueron representadas a la letra fuera de cortes mínimos, pueden ganar en concisión y en intensidad por medio de la refundición siguiente (a partir de la pág. 207, decimotercer parlamento):

ELENA.—*(Lenta, con voz blanca.)* Pedazos. *(Se vuelve hacia la puerta, muy erguida.* JULIA *llora sin extremos, nada más bajando la cabeza y dejando correr sus lágrimas.* MIGUEL *se deja caer en un asiento.)*

(Se oye un tumulto hostil afuera y, dominándolo:)

LA VOZ DE NAVARRO.—¡Camaradas! Vengo a decir a la viuda de César Rubio mi indignación ante el vil asesinato de su marido.

GUZMÁN.—¡Navarro! ¿Cómo se atreve...? *(Sale con violencia dejando la puerta abierta.)*

213

La voz de Navarro.—Hay pruebas de que el asesino fue un católico. En su cuerpo se encontraron un crucifijo y varios escapularios...

La voz de Guzmán.—¡Mentira! ¡Mentira! ¡Fue él y todos lo sabemos!

(Murmullo hostil pero indefinible.)

La voz de Navarro.—No contestaré. Estoy dispuesto a responder ante los tribunales y a renunciar a mi candidatura hasta probar mi inocencia. César Rubio ha caído a manos de la reacción en defensa de los ideales revolucionarios. Yo lo admiraba. Iba a ese plebiscito para renunciar en su favor porque él era el gobernante que necesitábamos. *(Murmullo de aprobación.)* Si soy electo, haré de su memoria la más venerada de todos porque era un gran jefe. La capital del Estado llevará su nombre, le levantaremos una universidad, un monumento que recuerde a las generaciones futuras... *(Lo interrumpe un clamor de aprobación.)*

Elena.—*(Agitando una mano como quebrada.)* Cierra, Miguel, las puertas, las ventanas, ciérralo todo.

Miguel.—*(Yendo hacia la puerta.)* No, mamá. Todo el mundo debe saber, sabrá...

No permitiré esta burla: la ciudad César Rubio, la universidad, ¡no!

Elena.—*(Deshecha.)* Cierra, Julia. Todo se ha acabado ya.

(Julia se dirige pasivamente a cerrar la ventana. Miguel, vencido por la voz de su madre, se detiene ante la puerta y, al fin, la cierra. Penumbra. El rumor exterior se hace menos perceptible.)

Miguel.—¡Mamá! *(Solloza sin ruido.)*

Elena.—Ése es otro hombre. El nuestro... *(No puede seguir. Llaman a la puerta.)* No abras, Julia.

(Tocan nuevamente. Miguel abre. Entra Navarro. Tras él, Guzmán.)

Navarro.—*(Avanzando bajo la mirada fija, lenta e indefinible de Miguel.)* Señora, permítame presentarle mis condolen-

214

cias más sinceras. Su marido ha sido víctima de un cobarde asesinato.

GUZMÁN.—Y tan cobarde. Yo sé que fuiste tú

MIGUEL.—*(En primer término derecha, entre* NAVARRO *y la puerta.)* Yo también.

NAVARRO.—*(Imperturbable.)* El asesino de César Rubio fue un fanático católico.

ELENA.—*(De hielo.)* Váyase usted, general Navarro. No sé cómo se atreve a presentarse aquí después de...

(La interrumpe el abrirse de la puerta. Entran ESTRELLA *y* SALINAS, *al mismo tiempo que* NAVARRO, *que iba a salir y que retrocede para dejarlos entrar, se borra insensiblemente al fondo, en el comedor.)*

ESTRELLA.—*(Solemne, con esa especie de alegría de serlo que acompaña a los demagogos.)* Señora, el señor Presidente de la República ha sido informado de este triste suceso. El cuerpo del señor general Rubio será velado en el palacio de gobierno; pero, considerando que se trata de un divisionario y de un gran héroe, recibirá honores presidenciales en la Rotonda de los Hombres Ilustres. Usted, señora, tendrá la pensión que le corresponde. El gobierno revolucionario no olvidará a la familia de su héroe más alto.

ELENA.—Gracias. No quiero nada de eso. Quiero el cuerpo de mi marido. Iré por él *(camina hacia la puerta.* JULIA *la sigue),* tú quédate.

SALINAS.—No entiendo, señora...

ESTRELLA.—César Rubio pertenece al pueblo, señora.

GUZMÁN.—*(Detrás de ellos, sañudo.)* Nos pertenece a nosotros para siempre.

JULIA.—Iremos todos mamá, y se le harán los honores. ¿No comprendes? Eso *(muy bajo)* será mi belleza.

(ELENA hace un esfuerzo para hablar, sin lograrlo. Siente que ha perdido definitivamente al hombre que fue suyo; no tendrá ni su cuerpo. Agita un poco una mano y la deja caer. ¿Para qué hablar ya? ESTRELLA *la toma del brazo;* JULIA *le pasa una mano por la cintura. Salen, seguidos por* GUZMÁN *y*

SALINAS. *El rumor exterior se apaga como un homenaje a la familia del héroe.* MIGUEL *permanece en escena, indeciso. Mira hacia la puerta y mueve la cabeza.* NAVARRO *sale del comedor y avanza hacia él.)*

NAVARRO.—¿Qué es lo que sabe usted?

MIGUEL.—*(Con una violencia incontenible.)* Sé que usted mató a mi padre y a su asesino material como mató al verdadero César Rubio.

NAVARRO.—*(Desafiante.)* No podría usted probar nada.

MIGUEL.—*(Cara a cara con él.)* No lo mato porque quiero probar la verdad primero, y para eso tiene usted que vivir. Es usted un asesino y mi padre no era un héroe. Encontraré pruebas.

NAVARRO.—Si está usted loco, lo encerraremos. Todo aquel que derrama su sangre por su país es un héroe, y México necesita de sus héroes para vivir. Su padre fue un héroe y un mártir de la revolución.

MIGUEL.—Es usted repugnante y hace de México, de la revolución, un vampiro. Pero caerá usted. Yo diré, yo gritaré la verdad ahora mismo. *(Va a la puerta.)*

NAVARRO.—*(Con una frialdad de muerte.)* Se reirán de usted. Si dice que yo soy un asesino, gente mal intencionada podría creerlo; pero si jura que su padre era un farsante, nadie lo creerá ya. No se puede luchar contra la credulidad de un pueblo entero. Es usted mi mejor defensor, y su padre era grande, muchacho; le debo mi elección.

(Aparta a MIGUEL *de la puerta y sale. Se oye un clamor confuso afuera. Luego una voz que grita: ¡Viva Navarro!)*

LA VOZ DE NAVARRO.—No, no, muchachos. ¡Viva César Rubio!

(Un ¡Viva César Rubio! Clamoroso se deja oír.
MIGUEL *hace un movimiento hacia la puerta, luego sale rápidamente por la izquierda. Ruido de voces y de automóviles en marcha, afuera. Breve pausa al cabo de la cual reaparece* MIGUEL *llevando una pequeña maleta. Se dirige hacia la*

puerta derecha. De allí se vuelve, descuelga el cartel con la ima-
gen de CÉSAR *Rubio, después de posar su maleta en el suelo.*
Dobla el cartel quietamente y lo coloca sobre el escritorio. Lue-
go empuja con el pie el rollo de carteles, que se abre como un
abanico en una múltiple imagen de CÉSAR *Rubio.)*

MIGUEL.—¡La verdad! *(Se cubre un momento el rostro con las ma-*
nos y parece a punto de abandonarse, pero se yergue. Entonces
toma, desesperado, su maleta. En la puerta se cerciora de que no
queda nadie afuera. El sol es cegador, MIGUEL *sale, huyendo de la*
sombra misma de CÉSAR *Rubio, que lo perseguirá toda su vida.)*

TELÓN

Colección Letras Hispánicas